es 1453
edition suhrkamp
Neue Folge Band 453

Jürgen Habermas, geb. 1929, hat von 1961 bis 1964 in Heidelberg Philosophie, von 1964 bis 1971 in Frankfurt am Main Philosophie und Soziologie gelehrt. Von 1971 bis 1983 war er Direktor am Max-Planck-Institut zur Erforschung der Lebensbedingungen der wissenschaftlich-technischen Welt in Starnberg. Seit 1983 lehrt er wieder an der Johann Wolfgang Goethe-Universität Frankfurt.

Publikationen: *Student und Politik* (gemeinsam mit L. v. Friedeburg, Ch. Oehler und F. Weltz), 1961; *Strukturwandel der Öffentlichkeit*, 1962; *Theorie und Praxis*, 1963; *Erkenntnis und Interesse*, 1968; *Technik und Wissenschaft als Ideologie*, 1968; *Protestbewegung und Hochschulreform*, 1969; *Zur Logik der Sozialwissenschaften*, 1970, erweiterte Ausgabe 1982; *Theorie der Gesellschaft oder Sozialtechnologie – Was leistet die Systemforschung* (zusammen mit Niklas Luhmann), 1971; *Philosophisch-politische Profile*, 1971, erweiterte Ausgabe 1981; *Legitimationsprobleme im Spätkapitalismus*, 1973; *Zur Rekonstruktion des Historischen Materialismus*, 1976; (Hrsg.) *Stichworte zur ›Geistigen Situation der Zeit‹*, 1980; *Kleine politische Schriften I–IV*, 1981; *Theorie des kommunikativen Handelns*, 1981; *Moralbewußtsein und kommunikatives Handeln*, 1983; (Hrsg. mit L. v. Friedeburg) *Adorno-Konferenz 1983*, 1983; *Vorstudien und Ergänzungen zur Theorie des kommunikativen Handelns*, 1984; *Der philosophische Diskurs der Moderne*, 1985; *Die Neue Unübersichtlichkeit*, 1985.

Jürgen Habermas
Eine Art Schadensabwicklung

Kleine Politische Schriften VI

Suhrkamp

edition suhrkamp 1453
Neue Folge Band 453
Erste Auflage 1987

Erstausgabe

Gesamtherstellung: Wagner GmbH, Nördlingen
Umschlagentwurf: Willy Fleckhaus
Printed in Germany

2 3 4 5 6 – 92 91 90 89 88 87

Inhalt

Vorwort

Der relativ kurze, nur zweijährige Abstand, in dem auf die *Neue Unübersichtlichkeit* eine weitere Sammlung politischer Schriften folgt, erklärt sich aus einem zufälligen Umstand. Meine Antwort auf eine Polemik von A. Hillgruber (in diesem Band S. 149 ff.) konnte wegen eines Vetos in die bei Piper erscheinende Dokumentation des sogenannten Historikerstreites nicht vollständig aufgenommen werden. Daraufhin habe ich mich entschlossen, alle meine Beiträge zu dieser Debatte in dem vorliegenden Kontext zugänglich zu machen.

Frankfurt, im März 1987 J. H.

1. Zwei Reden

Kommt man in die Jahre, wächst die Gefahr, zum Festredner zu werden. Die eher schwierigen Gelegenheiten sind freilich auch eine Herausforderung: so die Verleihung des Geschwister-Scholl-Preises am 18. November 1985 im Münchener Rathaus und der Hessische Verfassungstag 1985, an dem wie jedes Jahr die Wilhelm-Leuschner-Medaillen vergeben wurden.

Keine Normalisierung der Vergangenheit

»Vierzig Jahre danach« – unter dieser Formel verbirgt sich auch unser Erstaunen darüber, daß für die heute 15jährigen das Nazi-Regime unmittelbar in die Gegenwart hineinragt. Für uns damals, die wir am Ende des Krieges 15 waren, gehörte das entsprechende Jahr 1905 zur Vorvergangenheit. Der revolutionäre Aufstand in Petersburg beispielsweise oder Wilhelms II. »Tigersprung« nach Tanger waren, so schien es uns, durch den Ersten Weltkrieg schon von der Vergangenheit der Weimarer Republik abgeschnitten. Erst die jüngsten Jahrestage haben uns diesen Zeitmaschineneffekt zu Bewußtsein gebracht.

Die Geschichte fließt nicht mehr zwanglos ab. Eine aus den moralisch unverdauten Brocken jener Periode errichtete Barrikade scheint den Zeitfluß zu stauen, die Geschichte der Bundesrepublik nicht freizugeben für den rhythmischen Wellenschlag verblassender Erinnerungen. Noch das Vergessen steht unter dem Zwang des Nicht-vergessen-Könnens; das nennen wir Verdrängung. Es ist, als wenn sich jene zwölf Jahre unter dem Druck immer erneuter Aktualisierungen ausdehnten, statt aus immer entfernteren Retrospektiven zu schrumpfen. Die vergangenen Gegenwarten bleiben auf unheimliche Weise aktuell und halten die Diskussionen heute stärker besetzt als in den fünfziger und den frühen sechziger Jahren. Dieses Phänomen ist in der Öffentlichkeit zuerst 1983 registriert worden, als wir uns klarmachen mußten, daß uns schon ein halbes Jahrhundert vom Tag der sogenannten Machtergreifung trennte. Das Phänomen kehrte 1984 wieder, als sich das Gedenken an den 20. Juli aus der Starre zeremonieller Selbstbestätigung löste und die neue Qualität einer enttabuisierten Selbsterforschung annahm. Am 8. Mai 1985 haben schließlich die öffentlich-rechtlich inszenierten Peinlichkeiten von Bitburg und Bergen-Belsen das Bewußtsein der Nation gespalten.

Die heillosen, auch in den Frontstellungen heillos verwirrten Diskussionen um die Frankfurter Aufführung des Stückes von Rainer Werner Fassbinder sind kaum abgeklungen; und schon verstärkt sich jener moralische Sperrklinkeneffekt der Jahre zwischen 1933 und 1945 durch die Reaktionen, die er auslöst. Ich möchte drei Reaktionsmuster unterscheiden.

Da sind zunächst diejenigen, die sich, von Staats wegen ermuntert, seit der Mitte der siebziger Jahre darum bemühen, endlich einen Schlußstrich zu ziehen; sie fühlen sich heute in ihrer vorerst gescheiterten Absicht bestätigt. Helmut Dubiel hat diese Entsorgungsmentalität beschrieben: man verhält sich zur nationalen Vergangenheit wie zu einem Atomkraftwerk, für dessen strahlenverseuchten Müll noch keine Endlagerung gefunden ist. Dafür bietet sich eine funktionalistische Begründung an; wenn man die Selbstbehauptungskräfte eines Volkes durch ein gesundes Identitäts- und Geschichtsbewußtsein stärken wolle, müßten eben zustimmungsfähige Vergangenheiten mobilisiert werden, und nur solche.

Sodann gibt es diejenigen, die sich auch für eine historisierende Abnabelung von der Zeit des Nationalsozialismus aussprechen, aber aus anderen Gründen. Jener komplexe Zusammenhang von Kriminalität und weiterlaufender Normalität des NS-Alltags, von Zerstörung und vitaler Leistungskraft, von Systemperspektive und Nahoptik vor Ort soll so objektiv vergegenwärtigt werden, daß die kurzatmig pädagogisierende Vereinnahmung dem distanzierenden Verstehen Platz machen kann. Diese Reaktion ist nicht wie die erste von dem Impuls bestimmt, die Hypotheken einer glücklich entmoralisierten Vergangenheit abzuschütteln. Vielmehr soll die Differenzierung zwischen dem Verstehen und dem Verurteilen der schockierenden Vergangenheit eine hypnotische Lähmung lösen helfen.

Schließlich gibt es diejenigen, die meinen, daß sich der fortdauernde Schock in der Befangenheit des historischen Blicks wohl äußert, aber darin nicht seinen Grund hat. Eine heilende Kraft gehe von dem Verstehen aus, das eher durch den psychoanalytischen Arzt oder analytischen Filmemacher gefördert werden könnte als durch eine – mit ideologischem Aufwand wiederbelebte – Deutsche Historische Schule.

Dieses dritte Reaktionsmuster korrespondiert mit Überzeugungen der Weißen Rose. Im vierten ihrer Flugblätter ist die Rede von einer »Erneuerung des schwerverwundeten deutschen Geistes« – und auch davon, daß »dieser Wiedergeburt die klare Erkenntnis aller Schuld, die das deutsche Volk auf sich geladen hat, und ein rücksichtsloser Kampf gegen Hitler und seine allzu vielen Helfershelfer, Parteimitglieder, Quislinge usw. vorausgehen« müsse. Daß dem Wiederaufbau ein solcher Kampf nicht vorausgegangen ist, wissen wir. Daß sich der deutsche Geist von seinen Verwundungen bis heute nicht erholt hat, davon sprechen wir gerade. Sollte das nicht auch damit zu tun haben, daß die eine Forderung so wenig erfüllt worden ist wie die andere – die Anerkennung einer aus Mithaftung resultierenden Verantwortung? Die Herrschaft der alptraumhaft wiederkehrenden Vergangenheit über eine unerlöste Gegenwart könnte nur durch die analytische Kraft einer Erinnerung gebrochen werden, die die gelassene historische Vergegenwärtigung des Geschehenen nicht mit dessen moralischer Neutralisierung erkauft.

Ich habe drei Reaktionsmuster erwähnt; jedes legt wenigstens implizit eine Erklärung für das Phänomen nahe, das solche Reaktionen auslöst; zu wenig Verdrängung sagen die einen, zu wenig leidenschaftsloses historisches Verstehen, zu wenig schonungslose Anamnese sagen die anderen. Es gibt sicher auch trivialere Gründe. Die nachwachsenden Generationen sind von der indirekten Verstrickung des mithaftenden Zeitgenossen ebenso frei wie von persönlicher Schuld. Sie haben weniger Gründe als die Älteren, Fragen zu *unterlassen*. Aber welche Gründe haben sie, überhaupt Fragen zu stellen? Warum geht die Diskussion weiter, offener und intensiver, auch aufreibender denn je? Viele Faktoren spielen eine Rolle; das Verhalten jener Gruppe, die wir mit dem Namen der Weißen Rose unauslöschlich verbinden, könnte einen dieser Faktoren beleuchten. Es legt nämlich die kontrafaktische Frage nahe, was denn eine unbewehrte moralische Sensibilität für das alltägliche Unrecht gerade im Inneren eines kriegführenden und daher verletzbaren diktatorischen Regimes hätte politisch bewirken können, wenn sie in der Masse der Bevölkerung wirksam gewesen wäre.

Diese Studenten und der eine Lehrer gehörten nicht zu den vom Gegner definierten Opfern. Sie stammten nicht aus jüdischen Familien; ihre Väter waren keine Kommunisten oder Sozialdemokraten, Zigeuner oder Bibelforscher. Sie hatten keine militärischen, staatlichen oder industriellen Stellungen inne, in denen sie über Kompetenzen verfügt und für weitreichende Entscheidungen Verantwortung getragen hätten. Sie hatten keine Verbindung zu Parteien, die sie im Untergrund organisatorisch hätten unterstützen können. Sie hatten weder im Elternhaus noch auf der Universität Zugang zu anderen kulturellen Ressourcen als zu eben denen, aus denen Staat und Bürgertum seit eh und je, damals wie heute, ihre Ideale bezogen haben: es war der deutsche Idealismus von Kant, Schiller und Fichte vor dem Hintergrund eines christlich-abendländischen Humanismus. Unpolitisch war ihr Widerstand also in diesem unverfänglichen Sinne, daß sie weder durch Position und Einfluß, noch durch Tradition und Herkunft privilegiert waren, daß sie nicht dazu prädestiniert waren, sich anders zu verhalten als die anderen, die sich einer doppelbödigen Normalität anpaßten. Durchaus politisch war hingegen das, was sie, allein aufgrund moralischer Skrupel, ihren Mitbürgern zu tun geraten haben. Sie verlangten ja nur, die Augen nicht zu schließen vor der Behandlung der Juden, der Russen, der Fremdarbeiter, auch nicht vor der sich anbahnenden Niederlage nach Stalingrad. Sie forderten ja nur jene unauffällig-auffällige Sabotage, die mit dem Entzug von Solidarität beginnt und sich im täglichen Nicht-Mitmachen festsetzt. Keineswegs allgemein zumutbar war das Risiko, das diese Studenten und ihr Lehrer *selber* eingegangen sind; aber jene Art von Renitenz, zu der sie in ihren Flugblättern aufriefen, wäre mit kalkulierbaren und insoweit zumutbaren Risiken verbunden gewesen.

Drei Momente kommen hier zusammen: daß sich diese Gruppe von anderen Gruppen nicht etwa von Haus aus unterschieden hat; daß sie Realistisches gefordert hat; und daß sie diesen Forderungen unter Einsatz ihres Lebens Gehör verschaffen wollte. Diese drei Momente zusammengenommen, könnte ich mir denken, lassen gerade die Weiße Rose, durch einen Film ins öffentliche Bewußtsein getreten, zu einem Stachel werden, der die Jüngeren auch nach 40 Jahren nicht ruhen läßt zu fragen: wie denn jene unzähligen Unterlassungshandlungen möglich waren, aus denen die Stabilität des Unrechtsstaates bis zum bitteren Ende nur die Summe zu ziehen brauchte.

Indem ich an diese Dinge erinnere, will ich deutlich machen, warum ein Preis, der den Namen der Geschwister Scholl trägt und an deren Freundeskreis erinnert, ein *unmöglicher* Preis ist. Mit Erleichterung stellt man beim zweiten Hinsehen fest, daß es sich um einen Preis handelt, der von Verlegern für Tätigkeiten am Schreibtisch vergeben wird. Auch noch auf den Buch-Preis werfen indessen die Namengeber einen so langen Schatten, daß Klärungen angebracht sind.

Es gibt gewisse Bücher, auch heute noch, selbst in diesem

Herbst und in einem bayerischen Verlag, hinter denen eine der Weißen Rose würdige Lebensgeschichte steht. Lisa Fittkos Erinnerungen an die Jahre 1940/41 sind von dieser Art. Der Titel *Mein Weg über die Pyrenäen* bezieht sich auf jene einzigartige Pfadfindertätigkeit einer jungen Frau, die, selber als Sozialistin und Jüdin von den Nazis gehetzt, monatelang auf der Seite des besetzten Frankreich in Unsicherheit aushielt, um bis zu dreimal in der Woche Flüchtlingsgruppen über einen alten Schmuggelpfad nach Spanien in Sicherheit zu bringen. (Benjamin war übrigens der erste, den sie auf diesem Wege an die spanische Grenze führte.) Aber schon das Buch, für das meine Vorgängerin Anja Rosmus-Wenninger (mit so viel mehr Recht als ich) ausgezeichnet worden ist, kann nicht mehr die Beglaubigung durch außerordentliche Lebensumstände für sich in Anspruch nehmen. Und die männlichen Preisträger könnten, soweit ich das überblicke, wohl nicht einmal die ungewöhnliche Zivilcourage dieser jungen Historikerin für sich geltend machen. Walter Dirks steht mit Werk und Lebensgeschichte immerhin ein für die Tradition von Carl Muth und Theodor Haecker. Aber wir anderen haben doch nichts anderes vorzuweisen, als daß wir gelegentlich die Rolle des Intellektuellen wahrnehmen in einer Gesellschaft, die das erlaubt und sogar prämiiert. Gestatten Sie mir deshalb noch einen Hinweis auf die Umstände, die die Lage des Intellektuellen heute grundsätzlich unterscheiden von jener Situation, in der Kurt Huber – für das Schlußwort vor dem »Volksgerichtshof« – ein sokratisches Bekenntnis niedergeschrieben hat. Die politischen Verhältnisse waren damals zur Kenntlichkeit entstellt. Diejenigen, die das Risiko einzugehen bereit waren, konnten eine einsame moralische Einsicht gegen die offizielle Welt als fundamentale Gewißheit behaupten und ihr dadurch unmittelbar politische Bedeutung verleihen. Diese Grenzsituation eines die Wahrheit bekennenden Philosophen ist unendlich weit entfernt von der Normallage, auf die der Intellektuelle angewiesen ist. Seine moralische Überzeugung ist weder fundamental, noch kann sie unvermittelt politisch wirksam sein. Wohl dem Land, das nur Intellektuelle nötig hat.

Der Intellektuelle ist nicht mit seinem Gewissen allein; er wendet sich an eine demokratische Öffentlichkeit und appelliert an Rechte, von denen er unterstellt, daß sie als verbindlich akzeptiert werden. Heute beginnen in Genf die Abrüstungsverhandlungen zwischen Reagan und Gorbatschow; lassen Sie mich deshalb die von Inge Aicher-Scholl initiierten und in der letzten Nummer der *Zeit* veröffentlichten Appelle als ein Beispiel nennen: »Wenn wir durch Sie«, so redet hier Ilse Aichinger den Präsidenten und den Generalsekretär an, »dem Frieden um einen Schritt näher kämen, in dieser Stunde, die der letzten sehr ähnlich sieht, könnten wir den Heranwachsenden wieder in die Augen schauen und miteinander bauen, was gegeneinander nicht möglich ist.« Diese Worte zeugen vom Pathos des Intellektuellen, der auch gegen die Tatsachen auf eine Öffentlichkeit vertraut, in der Einstellungen durch Argumente verändert werden können. Bereits das Pathos dieses »allgemeinen Intellektuellen«, den Foucault in Sartre verkörpert sah, wird freilich gebrochen durch ein fallibilistisches Bewußtsein. Gewiß streitet er öffentlich für seine Auffassungen, aber er ist sich bewußt, daß es bei einer gemeinsam betriebenen Aufklärung niemanden geben kann, der sich nicht irren könnte.

Die Probleme, die heute öffentliches Interesse beanspruchen, sind meistens kompliziert und erfordern auch die Kenntnisse von Experten; oft läßt ihr Zuschnitt eindeutige moralische Zurechnungen nicht zu. Selbst den Verteidigern einer Militarisierung des Weltraums muß man Argumente zubilligen, die, so falsch sie sein mögen, keineswegs prima facie unmoralisch sind. Und die Kritik an jener Weltwirtschaftsordnung, in der der moralisch empörende Hunger der Sahel-Zone und anderswo seinen festen Platz hat, ist mit moralischen Argumenten allein kaum zu bestreiten. Daher erwächst den Literaten in ihrer Rolle des allgemeinen Intellektuellen heute durch Physiker, Ärzte, Militärs, Wirtschaftswissenschaftler, Psychologen, durch Spezialisten aller Art, wenn sie sich öffentlich engagieren, eine nützliche Konkurrenz. Diese sind normalerweise im Umgang mit hypothetischem Wissen geübt und unterminieren jenen falschen Anspruch auf einen privilegierten Zugang zur Wahrheit, den Intellektuelle in Deutschland zu lange einem überholten elitären Selbstverständnis der Philosophie entlehnt haben. Unangenehmer freilich, und in deutschen Traditionen tiefer eingebettet, ist der Typus des Gegenintellektuellen, der damit beschäftigt ist, unsersgleichen und damit sich selbst zu denunzieren.

Wie Sie wissen, klagen Intellektuelle gerne über das Elend anderer Intellektueller. Bevor ich dieser Neigung nachgeben kann, schließe ich mit einem Dank an die Stadt München und den Verband der Bayerischen Verleger. Ich bedanke mich dafür, daß ich in meiner nebenberuflichen Rolle als Intellektueller für etwas ausgezeichnet werde, das mir die Jury, wie ich mit Überraschung sehe, zum Verdienst anrechnet.

Über den doppelten Boden des demokratischen Rechtsstaates

Sehr geehrter Herr Ministerpräsident,

Sie haben mir die ehrenvolle Rolle zugedacht, für diejenigen Dank zu sagen, die hier die höchste Auszeichnung des Landes Hessen entgegennehmen. Was ich im Namen von uns allen sagen kann, sage ich gerne und ohne Vorbehalt: Jeder fühlt sich auf seine Weise durch Pfade der Lebensgeschichte dem Lande Hessen und den Leuten, die hier leben, so verbunden, daß ihn eine solche Auszeichnung freut und mit Befriedigung erfüllt. Ebenso eint uns die Achtung vor der politischen Leistung und der Person des Gewerkschaftsführers, des sozialdemokratischen Innenministers im Volksstaat Hessen, vor allem des Widerstandskämpfers Wilhelm Leuschner. Dessen brauche ich mich in diesem Kreise nicht erst zu vergewissern.

Aber schon die allgemeine Begründung, mit der diese Medaille verliehen wird – besondere Verdienste um die demokratische Gesellschaft und deren Einrichtungen –, wird bei jedem von uns eine andere Reaktion auslösen. Bei mir beispielsweise stößt sie auf eine nur durch protokollarische Zurückhaltung gemilderte Ungläubigkeit. Zudem – von nun an kann ich nur noch im eigenen Namen sprechen – komme ich zum ersten Mal mit etwas in Berührung, das von ferne, allen gegenteiligen Versicherungen zum Trotz, doch eine gewisse Ähnlichkeit hat mit einem von Staats wegen verliehenen Orden. Sonst pflegen ja, um nicht erst in Verlegenheit zu geraten, Intellektuelle wie ich den Umgang mit staatlichen Ehrenzeichen überhaupt zu meiden.

Andererseits ist es eine demokratische Staatsgewalt, die heute vor 39 Jahren in diesem Lande konstituiert worden ist – und zwar durch eine Verfassung, die in ihrem allgemeinen Teil sehr viel konkreter als das Grundgesetz eine eindrucksvolle politische Antwort auf das Nazi-Regime gegeben hat. In jedem dieser 63 detailliert ausgeführten Menschenrechtsartikel schwingt das Echo eines erlittenen Unrechts mit, das gleichsam Wort für Wort negiert wird. Diese Verfassungsartikel der ersten Stunde leisten nicht nur eine im Hegelschen Sinne bestimmte Negation, sie zeichnen zugleich die Konturen einer künftigen Gesellschaftsordnung. Der Rechtsstreit um das Aussperrungsverbot des Art. 29 der Hessischen Verfassung hat diesen programmatischen Charakter in Erinnerung gerufen. Die Verfassung zielt auf die Einrichtung einer zugleich sozial gerechten und demokratischen Gesellschaft ab. Einer der Verfassungsväter, der Staatsrechtler und ehemalige Kultusminister Erwin Stein, hat noch vor wenigen Tagen, aus Anlaß des 40. Jahrestages der Gründung der hessischen CDU, darauf hingewiesen, daß die gesellschaftspolitischen Inhalte der Hessischen Verfassung weit »über das dürftige und schillernde Bekenntnis des Grundgesetzes zum Sozialstaat« hinausreichen. Mit wieviel Recht Erwin Stein die heute wiederum vergebene Medaille vor 20 Jahren als einer der ersten erhalten hat, wird sofort klar, wenn man bedenkt, was Wilhelm Leuschner im Jahre 1929 als das Große an der Weimarer Republik gepriesen hat: »Das Ziel heißt, aus der politischen die soziale Demokratie zu machen.« Als Leuschner das sagte, wurde ich übrigens gerade geboren.

Wenn nun diese Zusammenhänge, aus meiner politischen Sicht, einen gewissen Verfassungspatriotismus durchaus begründen können, wie erklärt sich dann noch das, sagen wir einmal, Zögern des Intellektuellen gegenüber einer Auszeichnung aus der Hand des Hessischen Ministerpräsidenten? Ich stelle diese Frage nicht aus psychologischen Gründen. Ich meine vielmehr, daß sich im kritischen Abstand des Intellektuellen einerseits, in der Identifikationsbereitschaft und Loyalitätserwartung des Politikers andererseits gleichsam arbeitsteilig zwei gegenläufige Einstellungen ausprägen, die auf eine eigenartige Doppelbödigkeit des demokratischen Verfassungsstaates selber reagieren.

Ich verwende den Ausdruck »Doppelbödigkeit« ganz unbefangen. Unsere aus dem Geist des modernen Vernunftrechts entsprungenen Verfassungen haben nämlich einen doppelten Boden insoweit, wie der radikale Gehalt der Verfassungsprinzipien immer auch hinausschießt über das, was davon in den Institutionen des Staates faktisch schon verkörpert ist. Der demokratische Rechtsstaat kennt nur eine politische Praxis, die sich im Lichte eines solchen normativen Überschusses kontinuierlich rechtfertigen muß. Auch seine Institutionen können sich nur im Medium einer selbstkritischen Vergewisserung stabilisieren – angesichts der Frage, ob der universalistische Gehalt der Verfassungsprinzipien tatsächlich so weit ausgeschöpft wird, wie es die historischen Umstände erlauben. Strittig ist der *Grad* der Ausschöpfung. Daß dieser Streit immer wieder entbrennen kann, erklärt sich aus der überpositiven Geltung des Grundrechtskatalogs, auf die das Grundgesetz selber durch das Grundrechts*bekenntnis* in Art. 1 Abs. 2 und durch die Unterscheidung zwischen *Gesetz* und *Recht* in Art. 20 Abs. 3 *hinweist*. Die Prinzipien der Verfassung weisen über das Ensemble der jeweils geltenden Gesetze hinaus. Damit zieht die Spannung zwischen Norm und Wirklichkeit in die Verfassungswirklichkeit selber ein.

Diese Spannung macht eine oft beschworene, aus vordemokratischen Zuständen bekannte substantielle Festigkeit der staatlichen Institutionen hinfällig. Sie provoziert auch das Gegeneinander jener beiden Einstellungen, die sich in den Mentalitäten des Intellektuellen und des Politikers einseitig ausprägen, obwohl sie in der Mentalität des Staatsbürgers zusammen bestehen müssen. Ich meine die kritische Distanz gegenüber und die spontane Identifikation mit der bestehenden Praxis einer halbwegs funktionierenden rechtsstaatlichen Demokratie.

Herr Ministerpräsident, Sie haben in Ihrem letzten *Spiegel*-Interview (vom 4. November 1985) nicht ohne Affekt auf die Bemerkung eines politischen Gegners reagiert, der gemeint hatte, die SPD sei immer noch nicht voll »in unseren Staat integriert«. So komisch diese Bemerkung ist, so sehr muß sie jemanden treffen, der wie Sie in der Tradition dieser Partei steht. Sie ist einerseits als Partei der vaterlandslosen Gesellen denunziert worden und hat andererseits als beinahe einzige Kraft die Weimarer Republik vorbehaltlos getragen. Auch ich fühle mich ja verletzt, wenn (südlich des Mains, aber nicht nur dort) meine Loyalität zur Verfassung der Bundesrepublik öffentlich in Frage gestellt wird. Solche Vorwürfe rühren an eine für die Person selbst wesentliche Identifikation mit etwas Bestehendem. Aber dieselbe schmerzhafte Empörung verspüre ich, wenn ein Ministerpräsident, ein anderer, wie sich versteht, elf Hochschullehrern seines Landes ein Dokument zur Unterschrift vorlegt, mit der diese ihre Treue nicht etwa zu den Prinzipien der Verfassung, sondern zu den bestehenden Institutionen des Staates bestätigen sollen. Mit diesem aus der McCarthy-Ära bekannten Loyalitätseid wird nämlich genau die Differenz eingezogen, ohne die sich eine etablierte Ordnung als Rechtsstaat gar nicht qualifizieren kann – damit verliert sie nämlich den ihr innewohnenden Bezug zu Prinzipien, welche, wenn sie ihre legitimierende Kraft behalten sollen, mit den faktisch bestehenden Institutionen nicht gleichgesetzt werden dürfen.

Lassen Sie mich die Doppelbödigkeit des Verfassungsstaates und die beiden ihr entsprechenden, zwar gegenläufigen, aber zusammengehörigen Einstellungen an einem Beispiel erläutern – am Beispiel des bürgerlichen Ungehorsams im Rechtsstaat.

Vor vier Jahren haben Sie, Herr Ministerpräsident, die gleiche Situation wie heute zum Anlaß genommen, um zu den damals aktuellen Sorgen eine etwas allgemeinere Betrachtung anzustellen: »Die Propagierung des ökologischen Bürgerkrieges auf der einen Seite und die Organisierung von Privat-Milizen auf der anderen nimmt jeweils für sich in Anspruch, im Sinne höherer Notwendigkeit zu handeln. Beides bedroht den Bestand der freiheitlichen Demokratie.« Darüber ist, soweit es damals tatsächlich um die Infragestellung des staatlichen Gewaltmonopols ging, kein Wort zu verlieren. Sie hatten aber bei dieser Rede noch ein anderes Problem vor Augen – den Stellenwert der Mehrheitsregel, die selbstverständlich der Königsweg der demokratischen Willensbildung ist und bleiben soll: »Dieses Regierungssystem, das in unserem Land mehr Bürgerfreiheit ermöglicht hat als je zuvor..., kann empfindlich gestört werden, wenn Minderheiten nicht mehr bereit sind, sich Mehrheitsentscheidungen zu beugen.«

Zwei Jahre später haben dann, aus Anlaß der Raketenstationierung, die größten Demonstrationen stattgefunden, die die Bundesrepublik je gesehen hat. Dabei wurden demonstrativ Regeln verletzt; und diese regelverletzenden Demonstrationen richteten sich wiederum gegen eine Mehrheitsentscheidung. Diesmal wurde allerdings der bürgerliche Ungehorsam diszipliniert und im allgemeinen gewaltlos praktiziert. Er wurde auch so begründet, daß Ihre 1981 gewählte Beschreibung darauf nicht mehr ohne weiteres zutraf. Von Leuten wie Heinrich Böll in Mutlangen konnte man nicht mehr behaupten, daß sie »sich auf einen selbstdefinierten Volkswillen (berufen)... und (dabei) übersehen, daß sie zutiefst undemokratisch handeln«.

Vor kurzem hat nun die Evangelische Kirche ihr Verhältnis zum demokratischen Staat in einer bemerkenswerten Denkschrift dargelegt. Sie enthält unter anderem eine Rechtfertigung des zivilen

Ungehorsams, wie er in Mutlangen praktiziert worden ist. Da gerade dieser Passus in unserer lautstarken Rechtspresse nicht kommentiert worden ist, möchte ich ihn ganz vorlesen: »Eine andere Frage ist das Widerstehen des Bürgers gegen einzelne gewichtige Entscheidungen staatlicher Organe, wenn der Bürger die Entscheidung für verhängnisvoll und trotz formaler Legitimität für ethisch illegitim hält. Wer nur eine einzelne politische Sachentscheidung des Parlaments oder der Regierung bekämpft, will damit nicht das ganze System des freiheitlichen Rechtsstaates in Gefahr bringen. Sieht jemand grundlegende Rechte aller schwerwiegend verletzt und veranschlagt dies höher als eine begrenzte Verletzung der staatlichen Ordnung, so muß er bereit sein, die rechtlichen Konsequenzen zu tragen. Es handelt sich dabei nicht um Widerstand, sondern um demonstrative, zeichenhafte Handlungen, die bis zu Rechtsverstößen gehen können. Die Ernsthaftigkeit und Herausforderung, die in solchen Verstößen liegt, kann nicht einfach durch den Hinweis auf die Legalität und Legitimität des parlamentarischen Regierungssystems und seiner Mehrheitsentscheidungen abgetan werden. Zum freiheitlichen Charakter einer Demokratie gehört es, daß die Gewissensbedenken und Gewissensentscheidungen der Bürgerinnen und Bürger gewürdigt und geachtet werden. Auch wenn sie rechtswidrig sind und den dafür vorgesehenen Sanktionen unterliegen, müssen sie als Anfragen an Inhalt und Form demokratischer Entscheidungen ernst genommen werden.«

Die Denkschrift grenzt sich nach beiden Seiten ab: gegen diejenigen, die sich elitär auf einen selbstdefinierten Volkswillen oder narzißtisch auf ein selbstdefiniertes Naturrecht berufen; aber auch gegen diejenigen, die nicht begreifen, daß der Rechtsstaat von seinen Bürgern nur einen qualifizierten Gehorsam verlangen darf, weil er eben mit seinen legitimierenden Verfassungsgrundsätzen über die jeweils bestehende Legalordnung auch hinausweist.

Gewiß, jede Verfassung, die nicht in eine lebendige politische Kultur eingebettet ist, bleibt abstrakt. Wir haben das Schicksal der Weimarer Republik deutlich in Erinnerung. Um so mehr hat sich in der Bundesrepublik ein gewisser Verfassungspatriotismus bilden können. Bonn ist nicht Weimar. Jedoch nimmt dieser Verfassungspatriotismus, weil er weitgehend an die Stelle des von den Nazis zerstörten Nationalbewußtseins getreten ist, gelegentlich auch zwanghafte Züge an – die Züge einer neurotischen Ersatzleistung. Im Namen der wehrhaften Demokratie treten dann, wie im Herbst '77, Patrioten auf den Plan, die überall innere Feinde wittern und nicht sehen, daß die Legitimität rechtsstaatlicher Institutionen letztlich auf das nicht-institutionalisierbare Mißtrauen der Bürger angewiesen ist – jedenfalls eher als auf deren blinde Loyalität. Auch dies können wir aus Wilhelm Leuschners Lebensgeschichte lernen.

2. Heinrich Heine und die Rolle des Intellektuellen in Deutschland

Im Februar 1986 veranstaltete das Heinrich-Heine-Institut in Düsseldorf eine Tagung zum Thema »Das Junge Deutschland 1835. Literatur und Zensur im Vormärz«. Der folgende Text lag meinem Eröffnungsvortrag zugrunde.

Heinrich Heine und die Rolle des Intellektuellen in Deutschland

I

Im Jahre 1916 hatte Kurt Hiller unter dem expressionistischen Titel *Das Ziel. Aufruf zum tätigen Geist* eine Programmschrift herausgegeben, in der sich achtzehn Intellektuelle zum Fürsprecher progressiver Forderungen machten. Der damals zweiunddreißigjährige Theodor Heuss nahm diese Publikation zum Anlaß für eine Kritik an der (in seinen Augen) fragwürdigen Politisierung von Schriftstellern. Er erinnert an Vorläufer wie Hutten und die Pamphlete schreibenden Humanisten, an Voltaire und die Enzyklopädisten, an Arndt und Görres, die Wortführer gegen Napoleon, schließlich an Börne, Heine und das Junge Deutschland. Heuss stellt fest, daß deren Auftreten in Perioden *vor* der Ausbildung eines parlamentarischen Betriebs und eines Parteiensystems fällt. Damals habe die politische Willensbildung noch nicht unter dem heilsam disziplinierenden Zwang von Taktik und Organisation gestanden. Noch die Intellektuellen des Vormärz hätten sich, ohne die Opportunitätserwägungen des politischen Tagesgeschäfts, einen gewissen Idealismus leisten können. Der aber könne für die Zeitgenossen kein Modell mehr sein; sonst liefen sie eben Gefahr, »auf den verschobenen Realitäten auszurutschen. Als Kerr etwa begann, seine Publizistik politisch zu färben, spürte man: er denkt an Heinrich Heine. Aber damit wird es nicht viel. Denn unsere breiter, umständlicher, handwerklich gewordene Tagespolitik würde auf Heines Publizistik und Pointen nur matt reagieren; zum anderen aber sieht sich die politische Wirkung dieser Art von vormärzlicher Literatenpolitik nur solange bedeutsam an, als man sie – in der Literaturgeschichte nachliest. In der Staats- und Sozialgeschichte ist sie nur als Nuance, nicht aber als gestaltende Kraft vorhanden.«[1] Unverkennbar ist der Einfluß von Friedrich Naumann, auch von Max Weber, der ja drei Jahre später, in einem berühmten Vortrag über *Politik als Beruf*, auf ähnliche Weise die »sterile Aufgeregtheit« der Intellektuellen der Sachlichkeit und Rationalität der Berufspolitiker gegenüberstellen wird. Dem Berufspolitiker schreibt Weber realitätsgerechte Distanz, Augenmaß, Kompetenz und Verantwortungsbereitschaft zu – dem politisch dilettierenden Schriftsteller und Philosophen hingegen »eine ins Leere laufende Romantik des intellektuell Interessanten ohne alles sachliche Verantwortungsgefühl«.[2] Max Weber verwendet hier eine Kampfformel, die aus der Waffenkammer der zahlreichen Heine-Gegner stammen könnte. Ich werde auf diese von Schumpeter und Gehlen wiederaufgenommene Kritik an der Rolle des Intellektuellen zurückkommen. Zunächst aber geht es um die Frage, ob sich denn jene Intellektuellen, die der junge Heuss und Max Weber in der Periode des Ersten Weltkriegs vor Augen hatten, tatsächlich an Heine orientiert haben. Haben sie sich gar durch sein Vorbild, wie Heuss vermutet, irreführen lassen können?

Richtig ist gewiß die Beobachtung, daß der Intellektuelle mit der Ausbildung eines parlamentarischen Betriebes eine andere Rolle übernimmt. Ja, er gewinnt seine *spezifische* Rolle sogar erst mit dem Adressaten einer durch die Presse und den Kampf politischer Parteien geformten öffentlichen Meinung. Die politische Öffentlichkeit wird erst im Verfassungsstaat zum Medium und Verstärker einer demokratischen Willensbildung. Hier findet der Intellektuelle seinen Platz. Auch das Wort »Intellektueller« wird erst im Frankreich der Dreyfus-Affäre geprägt. Im Januar 1898 publiziert Emile Zola einen offenen Brief an den Präsidenten der Republik mit schweren Beschuldigungen gegen Militär und Justiz; einen Tag darauf erscheint in derselben Zeitung ein Manifest, das ebenso gegen Rechtsverletzungen im Prozeß gegen den wegen Spionage verurteilten Hauptmann Dreyfus protestiert. Es trägt über hundert Unterschriften, darunter die von prominenten Schriftstellern und Wissenschaftlern. Bald darauf wird es in der Öffentlichkeit als »Manifeste des Intellectuelles« bezeichnet. Anatole France spricht damals vom »Intellektuellen« als einem Gebildeten, der »ohne politischen Auftrag« handelt, wenn er sich im Interesse öffentlicher Angelegenheiten seiner professionellen Mittel außerhalb der Sphäre seines Berufes – eben in der politischen Öffentlichkeit – bedient. Was bei Max Weber als Unverantwortlichkeit des politischen Dilettanten wiederkehren wird, gilt hier noch als kompetenzfreie Verantwortlichkeit für das Ganze.

Mit Revision und Freispruch des zu Unrecht verdächtigten jüdischen Hauptmanns erzielten die Dreyfusards einen handgreiflichen Erfolg. Mehr noch hat der indirekte Erfolg, die Bewahrung der Dritten Republik vor einem Abgleiten in erneuten Bonapartismus, jene Rolle des »allgemeinen Intellektuellen« (Foucault) festgelegt, wie sie auf der Pariser Szene immer wieder – von Zola bis Sartre – eindrucksvoll wahrgenommen worden ist. Die Definition ist klar: die Intellektuellen wenden sich, wenn sie sich mit rhetorisch zugespitzten Argumenten für verletzte Rechte und unterdrückte Wahrheiten, für fällige Neuerungen und verzögerte Fortschritte einsetzen, an eine resonanzfähige, wache und informierte Öffentlichkeit. Sie rechnen mit der Anerkennung universalistischer Werte, sie verlassen sich auf einen halbwegs funktionierenden Rechtsstaat und auf eine Demokratie, die ihrerseits nur durch das Engagement der ebenso mißtrauischen wie streitbaren Bürger am Leben bleibt. Nach seinem normativen Selbstverständnis gehört dieser Typus in eine Welt, in der Politik nicht auf Staatstätigkeit zusammenschrumpft; in der Welt des Intellektuellen ergänzt eine politische Kultur des Widerspruchs die Institutionen des Staates. Dieser Welt steht Heinrich Heine nah und fern zugleich.

Die Distanz bemißt sich am Verhältnis des Pariser Emigranten zum Deutschland der vormärzlichen Restauration. Heine kann noch kein Intellektueller im Sinne der Dreyfus-Partei sein, weil er von der politischen Meinungsbildung in den deutschen Bundesstaaten auf doppelte Weise ferngehalten wird: physisch durch sein Exil und geistig durch die Zensur. Im *Wintermärchen* vergleicht Heine die Zensur mit dem Zollverein, der das zersplitterte Vaterland wirtschaftlich eint:

»Er gibt die äußere Einheit uns,
Die sogenannte materielle;
Die geistige Einheit gibt uns die Zensur,
Die wahrhaft ideelle –

Sie gibt die innere Einheit uns,
Die Einheit im Denken und Sinnen.«[3]

Wer Heines lebenslangen Kampf mit der Zensur kennt und weiß, daß die von ihm antizipierten Eingriffsmöglichkeiten des Zensors einen geradezu stilbildenden Einfluß auf seine Texte ausgeübt haben, wird das Gewicht dieser sarkastischen Verse, wird die in ihnen ironisch versteckte Wahrheit nicht unterschätzen.

Die vereinheitlichenden Definitionen der Zensur, mit denen der Frankfurter Bundestag 1832 französischen Zuständen vorbeugen wollte, verwandelten »das zersplitterte Vaterland« *tatsächlich* in ein Negativ jener, dem künftigen Intellektuellen zugleich vorenthaltenen und vorbehaltenen Arena der öffentlichen Meinung. Den Intellektuellen gibt es schon – aber erst in der vorgreifenden Wahrnehmung der Zensurbehörden. Als potentieller Geburtshelfer einer politischen Öffentlichkeit, die aus der literarischen hervorgehen wird, wirft er seinen Schatten voraus. Dort wird er seine Funktionen freilich erst ausüben können, nachdem der Geist der öffentlichen Meinung der Macht des Staates inkorporiert sein wird – eben über den parlamentarischen Betrieb. Bis dahin muß sich dem potentiellen Intellektuellen, Heine und seinen Zeitgenossen, die Macht als ein bloßes Gegenüber darstellen – als eine Instanz, die sich jeden Sitte und Religion zersetzenden Geist durch Zensur vom Leibe hält. Erst nach 1848 setzt sich auch in Deutschland das Prinzip der freien Meinungsäußerung wenigstens schrittweise durch. Parallel zu Veränderungen im Bildungssystem vollzieht sich ein Strukturwandel von der bürgerlichen, noch im Literaturbetrieb zentrierten Öffentlichkeit zu einer politisch fungierenden Öffentlichkeit, in der mit Massenpresse und Massenpublikum neue, von Bismarck sofort genutzte Möglichkeiten der Manipulation entstehen. Peter Uwe Hohendahl hat diesen Wandel der »Institution Literatur« beschrieben.[4] Aber auch unter den veränderten Bedingungen wird Heine, der Protointellektuelle, nicht heimgeholt ins preußisch geeinte Reich – weder als überragender Schriftsteller noch gar als intellektueller Typus. Die Spuren einer negativen Wirkungsgeschichte vertiefen sich; eine Tradition bildet Heine nicht.[5]

Anders in Frankreich. Hier war Heines Texten eine andere Wirkungsgeschichte beschieden. Aus jener Vorläufergestalt, die Heine in einer sehr deutschen Variante verkörperte, hat sich hier der Intellektuelle zu einem anerkannten Bestandteil der politischen Kultur entwickelt – »Voltaire verhaftet man nicht«.[6] Die Dreyfus-Affäre bringt es ans Licht: Heine hätte sich in der Intellektuellenrolle, die erst ein halbes Jahrhundert später ihren Namen und ihre spezifische Funktion erhält, wiedererkennen können. Hatte er doch an ähnlichen Fronten gestanden und sich den gleichen Denunziationen ausgesetzt. Der leichtfüßig-schwermütige Spott über die autoritären Zustände einer durch den besiegten Napoleon gleichwohl schon dementierten Obrigkeit; die schonungslose Verhöhnung von Opportunismus und biedermeierlicher Moral; die Witterung für die gar nicht so feinen Unterschiede zwischen dem republikanischen und dem altdeutschen Nationalismus; die Angst vor den dunklen Energien eines gegen die Vernunft selbst losbrechenden Populismus – dieser lebenslange, mit den Waffen des Dichters geführte Kampf lebt von denselben Inspirationen, denselben Parteinahmen für den Universalismus und Individualismus der Aufklärung wie das *J'accuse* des Emile Zola und die Manifeste seiner Freunde.

Diese Affinitäten spiegeln sich in den Reaktionen der jeweiligen Gegner. 1898 besetzen die autoritären, nationalistischen und antisemitischen Gegner innerhalb weniger Wochen die Figur und den Namen des Intellektuellen mit einem Kranz pejorativer Bedeutungen. Dabei tut sich Maurice Barrès, der Wortführer der Action Française, hervor. Dietz Bering hat das damals entstehende Feindbild des Intellektuellen untersucht: das Instinktlose und Entwurzelte des abstrakt allgemein denkenden Intellektuellen verbindet sich mit einem Mangel an patriotischer Gesinnung und Loyalität, mit bodenloser Dekadenz und fehlender Charakterfestigkeit, mit der zersetzenden Kritiksucht des »Fremdstämmigen«, des Juden, dem nichts heilig ist.[7] Wer dieses Bedeutungssyndrom mit den bekannten Topoi der zeitgenössischen Heine-Kritik vergleicht, ist von den Konvergenzen überrascht: in den polemischen Kennzeichnungen der Dreyfus-Partei scheinen sich jene Prädikate, die seinerzeit entrüstete Kritiker auf Heines Person bezogen hatten, nur zum anonymen Rollenstereotyp zu verdichten.

Aber in Deutschland, wo man die Dreyfus-Affäre sorgfältig registrierte, entwickelte sich bis zum Ersten Weltkrieg keine mit Heine wahlverwandte Intellektuellenschicht. Hier ist nicht die Intellektuellenrolle, sondern allein das negativ besetzte Rollenstereotyp der Gegner rezipiert worden. Bering hat nachgewiesen, daß nicht einmal jene Handvoll einflußreicher Literaten und Wissenschaftler, die bis 1933 den ohnmächtigen Versuch gemacht haben, radikaldemokratischen Humanismus Heinescher Prägung zu öffentlicher Wirkung zu bringen, daß nicht einmal Intellektuelle wie Heinrich Mann, Ernst Troeltsch oder Alfred Döblin es gewagt haben, das Wort »Intellektueller« in einem unverfänglich positiven Sinne zu verwenden. Karl Mannheim hat allerdings eine

Soziologie des freischwebenden Intellektuellen begründet. Wer mit den Intellektuellen etwas Positives im Sinne hatte, bediente sich jedoch im deutschen Milieu lieber einer Ableitung des im Grimmschen *Wörterbuch* so großartig kodifizierten »Geist«; er sprach lieber von »geistigen Menschen« oder kurz von den »Geistigen« – denn dann ließen sich leicht die »Geistesmenschen« assoziieren, die »geistig Schaffenden«, ja der »Geistesadel«.[8] Dem entsprachen auf der Linken die »geistigen Arbeiter«. Eine der wenigen Ausnahmen bildet Siegfried Kracauers heute noch lesenswerte Auseinandersetzung mit Döblin, der er den Titel gab: *Minimalforderungen an die Intellektuellen.*[9]

Adorno, der uns doch aufforderte, »der Hetze gegen die Intellektuellen, wie immer sie auch sich tarnt, zu widerstehen«, und der aus dem Ausdruck »geistiger Mensch« sehr genau den Anklang an »die elitären Herrschaftswünsche« deutscher Akademiker heraushörte, selbst er sprach lieber von geistigen Menschen als von Intellektuellen – und erklärte dann mit schlechtem Gewissen: »Das Wort ›geistiger Mensch‹ mag abscheulich sein, aber daß es so etwas gibt, merkt man erst an dem Abscheulicheren, daß einer kein geistiger Mensch ist.«[10] Noch in Adornos zögerndem Widerspruch gegen den objektiven Geist setzt dieser sich durch. Vor dem Ersten Weltkrieg ist in Deutschland eine Intellektuellenkritik ohne Intellektuelle entstanden. Zwischen den Kriegen hat sie geradezu normative Kraft entfalten können. Thomas Mann hat 1918 in seinen später zurückgenommenen *Betrachtungen eines Unpolitischen* das Ergebnis von Ausgrenzungsprozessen festgehalten, die den Intellektuellen mit dem äußeren Feind, mit dem »Barrikadenheroismus einer anderen Rasse«[11], also mit der Zivilisation des Westens, assoziiert und ihm im Spannungsfeld zwischen Kultur und Zivilisation, Blut und Verstand, zwischen systematisch-schöpferischer und methodisch beschränkter Geistesrichtung, Metaphysik und Dichtung einerseits, Asphaltliteratur andererseits den Platz angewiesen haben. In erklärter Analogie zum Dreyfus-Prozeß heißt es hier: »Ein Intellektueller ist, wer geistig auf Seiten der Zivilisations-Entente gegen den ›Säbel‹, gegen Deutschland ficht.«[12]

Diese Deutung, die jeweils den Anderen zum Intellektuellen macht, konnte von allen Lagern mehr oder weniger akzeptiert werden, keineswegs nur von Exponenten der Jugendbewegung wie Hans Blüher oder von den Völkisch-Nationalen wie Ernst von Salomon, die sich ja nur den in Frankreich schon ausgebildeten Fronten einzugliedern brauchten. Von den vier wichtigsten Fraktionen im Geistesleben der Weimarer Republik hatte jede ihren Grund, um die anderen als fragwürdige Intellektuelle abzuwerten. Lassen Sie mich die wichtigsten Gruppierungen, die uns noch beschäftigen werden, hier schon erwähnen.

Da sind zunächst die Unpolitischen unter den Schriftstellern und die Mandarine unter den Gelehrten. Für Hermann Hesse oder den frühen Thomas Mann, für Ernst Robert Curtius oder Karl Jaspers[13] sind die Sphären des Geistes und der Macht derart voneinander geschieden, daß ihnen eine »Politisierung des Geistes« als Verrat an der Berufung der schöpferischen und der gebildeten Persönlichkeit erscheinen mußte. Auf der anderen Seite stehen realpolitisch gesonnene Theoretiker wie Max Weber und der junge Heuss. Sie hegen den Argwohn, daß im Zuge einer Politisierung von Schriftstellern und Philosophen ein unernstes, inkompetentes, schwankendes Element in einen Bereich eindringen würde, der der fachlichen Rationalität des Berufspolitikers vorbehalten bleiben müsse. Beide Seiten fürchten vom Intellektuellen eine Vermischung der Kategorien, die besser getrennt bleiben sollten – sei es, weil sonst der arbeitsteilige politische Betrieb den esoterischen Geist ins Alltäglich-Opportunistische herabzieht und verunreinigt oder weil umgekehrt das normale Funktionieren des Betriebs durch gesinnungsethische Schwarmgeisterei ruiniert würde. Die Aktivisten um Kurt Hiller, überhaupt expressionistische Geister wie René Schickele, Carl Einstein, Ernst Bloch bilden die zu Beginn schon erwähnte dritte Gruppe. Indem sie, wenigstens ihrem rhetorischen Anspruch nach, in die politische Arena drängen, scheinen diese Intellektuellen die Befürchtungen und Definitionen der beiden anderen Fraktionen zu erfüllen. Typischerweise verwechseln sie intellektuellen Einfluß innerhalb einer demokratischen Öffentlichkeit mit der Verfügung über politische Macht und träumen von einer Internationale, einem Konvent, einem Areopag der verbündeten Intellektuellen. Auch diese Emphase von »Geist und Tat« führt deshalb nicht zu einer balancierten Einschätzung der Intellektuellenrolle. Diese Aktivisten teilen mit den unpolitischen Dichterfürsten und mit den Mandarinen der Wissenschaft den bildungselitären Anspruch aufs Höhere, während sie mit den Realpolitikern die falsche Annahme teilen, daß politisches Engagement für den Intellektuellen heißen müsse, im Kampf der politischen Parteien eine *eigene* Machtposition zu erringen und im politischen Betrieb selbst eine Funktion zu übernehmen. Diese Haltung provoziert natürlich viertens jene Intellektuellen, die wie Georg Lukács oder Johannes R. Becher tatsächlich die Linie zum Berufspolitiker oder Berufsrevolutionär überschritten und sich einem Parteiapparat untergeordnet hatten, also tatsächlich über Macht verfügten. Diese linken Parteiintellektuellen haben Bebels Mißtrauen der Arbeiter gegen die »Klassenverräter« und Überläufer verinnerlicht und wollten den Bourgeois in sich abtöten: »Der Intellektuelle ... muß den größeren Teil dessen, was er seiner bürgerlichen Abstammung verdankt, verbrennen, bevor er in Reih' und Glied mit der proletarischen Kampfarmeee mitmarschieren kann.«[14] Diese »Kopfarbeiter« üben die allerschärfste Kritik am Wankelmut und Opportunismus, an der Unzuverlässigkeit und dem ideologischen Machtanspruch der »kleinbürgerlichen Intelligenz«. Kein noch so masochistisches Ritual der Selbstreinigung erschüttert freilich die parteigebundenen Intellektuellen in der geschichtsphilosophisch begründeten Überzeugung, daß der proletarisch gesinnte Intellektuelle, der seinen Individualismus überwunden hat, eine Avantgardefunktion von weltgeschichtlicher Bedeutung zu erfüllen habe.

Im Spektrum der Schriftsteller und Professoren, die zu den Konflikten des Ersten Weltkrieges und zur Weimarer Situation überhaupt Stellung genommen haben, zeichnen sich also vier Gruppen von Intellektuellen ab, die keine sein wollen. Sie alle geraten in jenes Dilemma der Selbstverleugnung, das sich in anderen Ländern allein dem Rechtsintellektuellen stellt. Rechtsintellektuelle gibt es natürlich, als eine fünfte Gruppierung, auch in Weimar; beispielsweise einen Wilhelm Stapel, der gegen die »Phrasen« von der Freiheit der Kunst und des Geistes zu Felde zieht, indem er den »Trümmergehirnen in den Literatencafés«, die »in Heinrich Heines Freiheitsposaune stoßen«, »das naive Gefühl eines redlichen Volkes« gegenüberstellt. Der nationale, sich selbst dementierende Intellektuelle soll »nicht eine Geistigkeit jenseits des Volkes kultivieren, sondern er wird die Geistigkeit *seines* Volkes repräsentieren«.[15] In Deutschland bleibt das kein Privileg der Rechten; beinahe alle dementieren sich als Intellektuelle, indem sie das Pseudonym des Geistigen annehmen. *Als* Intellektuelle beschuldigen sie sich nur gegenseitig. Manche dieser Beschuldigungen sind nicht einmal unberechtigt. Aber gegen Theodor Heuss, der das Elend der deutschen Intellektuellen auf das falsche Vorbild Heine, auf die falsche Identifikation mit den Vormärz-Intellektuellen zurückführt, möchte ich die These verteidigen: daß im Gegenteil die Orientierung am Vorbild Heine einer in Weimar leider fehlgeschlagenen Institutionalisierung der Rolle des Intellektuellen nur hätte förderlich sein können.

Kontrafaktische Behauptungen über nicht eingetretene historische Entwicklungen sind schwer zu begründen. Ich möchte deshalb plausibel machen, daß das, was Heine zum engagierten Schriftsteller gemacht hat, dem soeben skizzierten Selbstverständnis der meisten Weimarer Intellektuellen zuwiderläuft. Verwandte Geister wie Tucholsky blieben die Ausnahme. Heine hat seine literarisch-publizistische Tätigkeit so eingeschätzt, daß für ihn zwei in Deutschland aufkommende Mißverständnisse über die Rolle des Intellektuellen ausgeschlossen gewesen wären. Das erste Mißverständnis betrifft die Autonomie von Kunst und Wissenschaft gegenüber der Politik: man glaubte, daß das öffentliche Engagement von Schriftstellern und Gelehrten eine Entdifferenzierung eigensinnig ausgebildeter kultureller Sphären bedeuten und deren Verschmelzung mit Politik zur Folge haben müsse. Das andere Mißverständnis betrifft die Art des Engagements, das der Intellektuelle eingeht: man verwechselte Einflußnahme auf die politische Öffentlichkeit mit der Eingliederung in den Betrieb des politischen Machtkampfes. Beide Mißverständnisse traten zudem in Kombination mit einem schwärmerisch-elitären Selbstverständnis des akademisch Gebildeten auf. Für Heine entbehrte hingegen der durch die Zensur handgreiflich konstituierte Gegensatz von Geist und Macht jener Konnotationen, die das typisch deutsche Gegenspiel von Schwärmerei und Zynismus begleiten. Heine hat die Vorurteile der Weimarer Intellektuellen über ihre eigene Rolle nicht geteilt. Bevor ich aber auf diese strukturellen Unvereinbarkeiten eingehen werde, muß ich an Trivialeres erinnern. Schon des *Inhalts* seiner Schriften wegen blieb Heine, zwischen 1848 und 1945, ein Außenseiter.

II

(1) Daß Heine, trotz aller Konzilianz, Unbehagen, ein scharfes Klima der Ablehnung verbreitet hat, führt Adorno auf das Nicht-Affirmative und Unverwässerte des von ihm bewahrten Aufklärungsbegriffs zurück.[16] Heine war und blieb in der Tat radikaler Aufklärer – es fragt sich aber, *welcher Art* von Radikalität schuldete er die Unverdaulichkeit seines doch eher listig-einschmeichelnd formulierten Gedankens. »Mit höflicher Ironie weigert er sich, das soeben Demolierte durch die Hintertür – oder die Kellertür der Tiefe – sogleich wieder einzuschmuggeln.«[17] Genügt das zur Erklärung? Unverfälschte Aufklärung produziert gewiß Sperrgut – jedenfalls für die Schiffahrt auf deutschen Traditionsströmen. Aber Heines Gedanken waren doch durchaus die Gedanken seiner Zeit: »die Elsasser und Lothringer werden sich wieder an Deutschland anschließen, wenn wir das vollenden, was die Franzosen begonnen haben, wenn wir diese überflügeln in der Tat, wie wir es schon getan in Gedanken, wenn wir uns bis zu den letzten Folgerungen desselben emporschwingen, wenn wir die Dienstbarkeit bis in ihrem letzten Schlupfwinkel, dem Himmel zerstören, wenn wir den Gott, der auf Erden im Menschen wohnt, aus seiner Erniedrigung retten, wenn wir die Erlöser Gottes werden, wenn wir das arme glückenterbte Volk und den verhöhnten Genius und die geschändete Schönheit wieder in ihre Würde einsetzen...«.[18] Die Französische Revolution als Ausgangspunkt, der Saint-Simonismus, die junghegelianische Philosophie der Tat und die Feuerbachsche Religionskritik als Hintergrund, die Radikalisierung der bürgerlichen, also die soziale Zuspitzung der politischen Revolution als Antrieb der Heineschen Prosa und eines guten Teils seiner lyrischen Produktion[19] – Heine hat an diesem Gewebe aus radikal-aufklärerischen, materialistischen, vernunftutopischen Gedankenfäden tatkräftig, aber doch nur als einer von vielen mitgearbeitet. Seine Vaterlandsliebe war die Wunde, die Heine dem Publico zu verbergen suchte – wo jedoch sitzt der Stachel, an dem sich das Publikum, das deutsche jedenfalls, wundgerieben hat? Sitzt er *nur* in der aufklärerischen Intransigenz?

Daß die Menschen Gott erlösen werden, klingt blasphemisch und ist doch nur ein altes Motiv, das Baader, Schelling und Hegel längst der protestantischen (und der jüdischen) Mystik entlehnt und in die Produktivität der bestimmten Negation umgearbeitet hatten. Schon der Student Heine war, wenn wir den späteren Berichten trauen dürfen[20], Junghegelianer im Verhältnis zu seinem berühmten Professor: er wollte Hegel als verschwiegenen Atheisten und heimlichen Revolutionär verstehen. Dieser linke Hegel ist es denn auch, mit dessen Brille Heine die Geschichte der Religion und Philosophie in Deutschland entziffert. Es treten da nacheinander auf: ein Luther, der die Vernunft als oberste Richterin in religiösen Streitfragen einsetzt, der der Geistesfreiheit Bahn bricht und für die künftigen Revolutionen die Sprache schafft, in der die ärmsten Leute ihren Bedürfnissen einen biblisch-literarischen Ausdruck verschaffen können; ein Lessing, der den Luther fortsetzt, der das von der Tradition befreite Christentum nun auch noch von der Hülle des Buchstabens, vom »starren Wortdienst« befreit; ein Kant, der den Lessing fortsetzt und als der große Zerstörer im Reiche der Gedanken den Terrorismus des Spießers Robespierre weit übertrifft, der alle Beweisführungen von der Existenz Gottes zerstört, um Gott »nur der Polizei wegen« aus dem Geist der praktischen Vernunft zweideutig auferstehen zu lassen. Und so geht das fort: Fichte als Napoleon, der naturphilosophische Schelling als verkappter Materialist, Hegel selbst schließlich als der Blitz, der dem Donner einer fürchterlichen deutschen Revolution vorauseilt. Die Philosophie ist nur die trockene Hülle einer »naßroten« Revolution. Unter den Göttergestalten, die sich auf dem Olymp bei Nektar und Ambrosia verlustieren, ist nur eine, die »immer einen Panzer trägt und den Helm auf dem Kopf und den Speer in der Hand behält. Es ist die Göttin der Weisheit«.[21]

Was Heine fasziniert und zugleich verstört, sind die Energien, die sich noch im transparentesten Faltenwurf des konsequenten philosophischen Gedankens verbergen. Der Haß, der dem Juden und dem Intellektuellen Heine zeitlebens entgegenschlug, hat ihn hellsichtig gemacht für die Zwieschlächtigkeit eines Nationalismus, der als eine republikanisch-kosmopolitische Idee auf die Welt gekommen, dann aber von »allerlei Geschwüren« befallen worden war. Heine war argwöhnisch gegen das Fanatische und Bornierte, gegen das zutiefst Antimoderne und Partikularistische der deutschtümelnden Jakobiner, die Fremdenhaß mit Vaterlandsliebe verwechselten, Bücher verbrannten und bereit sein würden, die nationale Einheit über den emanzipatorischen Gehalt der bürgerlichen Freiheitsrechte zu stellen. Immer wieder hat Heine auf Differenzierungen zwischen jenen beiden Parteien gedrängt, deren eine sich im Zeichen von »Menschheit, Weltbürgertum, Vernunft der Söhne« die Grundsätze der »französischen Freiheitslehre« zu eigen gemacht hatte, deren andere aber die unaufgeklärten Volksmassen mit dem Ruf »Vaterland, Deutschland, Glauben der Väter« hinter sich brachte.

Es *war* das Mißtrauen des Aufklärers, das Heine gegenüber den teutomanischen Zügen des Populismus heftig reagieren ließ. Wie radikal Heine sich von der entschärfenden, Kanten und Ecken abschleifenden Rezeption der deutschen Aufklärung unterschied, davon zeugt untrüglich die Ehrenrettung des Buchhändlers Nicolai, der noch uns Schülern, nach 1945, als abschreckende Symbolfigur für den »Aufkläricht« vorgeführt wurde: es sind die Obskuranten, sagt Heine, die ihn zugrunde persifliert haben. Was immer sich Nicolai an merkwürdigen Fehleinschätzungen zuschulden kommen ließ, etwa in der Satire gegen den *Werther*, in der Hauptsache irrte er sich nie: »Es ist nicht zu leugnen, daß mancher Hieb, der dem Aberglauben galt, unglücklicherweise die Poesie selbst traf. So stritt Nicolai z. B. gegen die aufkommende Vorliebe für altdeutsche Volkslieder. Aber im Grunde hatte er wieder Recht; bei aller möglichen Vorzüglichkeit enthielten doch jene Lieder mancherlei Erinnerungen, die eben nicht zeitgemäß waren, die alten Klänge der Kuhreigen des Mittelalters konnten die Gemüter des Volks wieder in den Glaubensstall der Vergangenheit zurücklocken.«[22] Um die Sprengkraft dieses Satzes zu würdigen, muß man wissen, wie schwärmerisch Heine selbst von Brentanos Volkslieder-Sammlung *Des Knaben Wunderhorn* gesprochen, mit welcher Begeisterung er das *Nibelungenlied* gepriesen, wie eichendorffisch er seinen französischen Lesern die schöpferische Kraft des »Volksgeistes« anhand der fahrenden Handwerksburschen aus Halberstadt ausgemalt hat.[23]

Und hier, denke ich, steckt der Stachel, an dem sich die deutschen Leser wundgerieben, den sie Heine nicht verziehen haben. Die Ehrenrettung des komischen Kauzes Nicolai hätten sie ihm, dem radikalen *Aufklärer*, vielleicht noch verziehen; aber nicht das Argument, dessen er sich dabei bediente – dem *Romantiker* Heine haben sie nicht verziehen, daß er das romantische Erbe dem fatal Volkstümelnden, der falschen Historisierung, der verklärenden Sentimentalität entführt und den eigenen, radikalen

Ursprüngen zurückgegeben hat. Sie haben ihm nicht verziehen, daß er »die Partei der Blumen und der Nachtigallen« mit der der Revolution verbunden, daß er jenen Gegensatz, den die Restauration der alt und fromm gewordenen Romantiker selbst noch aufgetürmt hat, daß er den Gegensatz zwischen Romantik und Aufklärung liquidierte.

Dieser Stachel sitzt links wie rechts im deutschen Fleische. Die atheistische Grundierung jener mystischen Erwartung, daß Gott der Erlösung durch die Selbstemanzipation der Menschen harrt, mag ja auf dieser Seite der Barrikade noch hingehen; daß aber die Spannweite dieser Emanzipation nicht nur das glückenterbte Volk, sondern das Glück selber, den »verhöhnten Genius und die geschändete Schönheit« umfassen soll, irritiert auch die tugendhaften Revolutionäre.[24] Die hedonistische Demokratie, die Heine gegen die Puritaner einer auf Kosten der Schönheit betriebenen Revolution verteidigt, ist gezeichnet durch einen überschwenglichen Materialismus des Glücks: »Ihr verlangt einfache Trachten, enthaltsame Sitten und ungewürzte Genüsse; wir hingegen verlangen Nektar und Ambrosia, Purpurmäntel, kostbare Wohlgerüche, Wollust und Pracht, lachenden Nymphentanz, Musik und Komödien – Seid deshalb nicht ungehalten, Ihr tugendhaften Republikaner.«[25] An diese Textstelle erinnert Heine zehn Jahre später, im Jahre 1844, als er gerade den Dr. Marx kennengelernt hatte. Dieser Marx der *Pariser Manuskripte* berührt sich mit Heine in der progressiven Umwendung der Motive der Frühromantik; aber nur unter Heines Händen verwandeln diese sich zu Antriebskräften eines libertären Sozialismus, der die Lorbeerwälder nicht zu Kartoffeläckern umpflügen, das *Buch der Lieder* nicht zu Kaffeetüten verarbeiten und »alle jene phantastischen Schnurrpfeifereien, die dem Poeten so lieb waren«, wohl behüten wird.[26] Heine macht von seiner entwendeten Romantik einen radikalen Gebrauch – das war unverzeihlicher noch als die radikale Aufklärung selber.[27]

(2) Mit diesem Heine konnten die Weimarer Intellektuellen nichts anfangen – links, wo sie sich dem Parteiapparat unterwarfen, sowenig wie rechts, wo sie die nationale Revolution anführen wollten. In seiner berühmten Rundfunkrede im April 1933 geht Gottfried Benn mit allen Intellektuellen ins Gericht, die je für Geistesfreiheit und für die Unumschränktheit des Genusses eingetreten sind. Ihnen stellt er wieder einmal gegenüber die »Den-

kenden«, die seit Nietzsche »den neuen biologischen Typ« verkörpern. Mit einem einzigen, seinem letzten Satz, streicht Benn alles durch, wofür Heine gedichtet und geschrieben hat: »Halte Dich nicht auf mit Widerlegungen und Worten, habe Mangel an Versöhnung, schließe die Tore, baue den Staat.«[28] Natürlich dachten nicht alle wie Benn, wie Jünger, Heidegger, Carl Schmitt – weder Hermann Hesse noch Thomas Mann, weder Ernst Robert Curtius noch Karl Jaspers, Max Weber nicht und nicht Georg Lukács. Warum für *sie* Heine als intellektuelle Figur gleichwohl nicht zum Vorbild, nicht einmal zum Wegweiser werden konnte, läßt sich aus dem radikalen *Inhalt* seiner Schriften nicht erklären. Hier stoßen vielmehr Mentalitäten aufeinander, Prämissen, die unter die Haut gehen. Ich will jene beiden Prämissen, die das Verständnis der Intellektuellenrolle bestimmen, diskutieren, um zu erklären, warum Heine den Intellektuellen, die es nicht sein wollten, kein Vorbild werden konnte.

(a) Heinrich Heine hat die Pariser Julirevolution, fernab auf Helgoland, als Medienereignis erfahren und als solches später auch gefeiert: er spricht von den »wilden, in Druckpapier gewikkelten Sonnenstrahlen« und berichtet unter dem 10. August erregt, daß »diesen Morgen wieder ein Paket Zeitungen« angekommen sei mit rührenden Details, die ihn wie ein Kind noch weit mehr als das bedeutungsvolle Ganze beschäftigt hätten. An diesem Tage gewinnen die »Waffen des Dichters«, die später im *Wintermärchen* eine Rolle spielen werden, eine eigenartige Aktualität: »... reicht mir die Leier, damit ich ein Schlachtlied singe... Worte gleich flammenden Sternen die aus der Höhe herabschießen und die Paläste verbrennen und die Hütten erleuchten... Worte gleich blanken Wurfspeeren...«[29] Der Dichter kämpft an der Seite des revolutionären Haufens, aber mit *seinen* Waffen. Was bedeutet diese Konzeption des wehrhaften, ins Tagesgeschehen eingreifenden Dichters für das Verhältnis von Poesie und Politik, Geist und Macht?

Heine entwickelt schon eine große Sensibilität für die durchs Medium der bürgerlichen Öffentlichkeit reflektierte, durch Tages- und Wochenpresse zugleich gebrochene und akzelerierte Wirkungsweise literarischer Produkte: mit der publizistisch verdichteten Form der Kommunikation hatten Kunst und Wissenschaft Art und Tempo ihrer Wirkung verändert. Dieses moderne Bewußtsein drückt sich auch in Heines rezeptionsästhetischer

Einstellung aus. Es geht ihm um die soziale und politische Bedeutung der romantischen Schule, um die Wirkungsgeschichte von Religion und Philosophie in Deutschland. Er differenziert die Zusammensetzung des lesenden Publikums bereits unter soziologischen, die Verbreitung der kulturellen Erzeugnisse schon unter medienanalytischen Gesichtspunkten. Und er begreift die Julirevolution als den Siedepunkt, auf dem sich der Aggregatzustand der Öffentlichkeit veränderte – aus der literarischen Öffentlichkeit die politische sich formte (wenn auch in Deutschland zunächst nur vorübergehend). Heine beobachtet, wie dieser Strukturwandel die Einstellung des Dichters zu seinem Werk und zum Publikum berührt, wie er ins ästhetische Selbstverständnis des Autors und sogar in die ästhetische Form selber eingreift.

In der unmittelbar vorangehenden, klassischen Periode hatten Literatur und Kunst, deren Produktion und Konsum im Verlaufe des 18. Jahrhunderts vom Mäzen auf den Markt umgestellt worden waren, erst ihre Autonomie erlangt. Heine nennt sie die Kunstperiode. Der Literatur- und Kunstbetrieb hatte sich – wie auch der Wissenschaftsbetrieb – so weit ausdifferenziert, daß auch die professionell bearbeitete Kultur in ihrer inneren Struktur und Gesetzmäßigkeit transparent werden und sich vom Alltag, von Politik und Gesellschaft *abheben* konnte. Diese Autonomie hatte in der klassischen Werkästhetik – wie in Humboldts Universitätsidee – ihren Niederschlag gefunden. Wenn nun aber Schriftsteller und Gelehrte in den Sog der Emanzipationsbewegungen hineingezogen wurden, wenn sie zum vibrierenden Zentrum der Öffentlichkeit einen Bezug herstellten, sich an diese adressierten, einige ihrer Werke mit politischen Wirkungsabsichten schon erzeugten, Worte als potentielle Taten verstanden – mußte dadurch nicht die soeben als »eine zweite unabhängige Welt« etablierte Kunst (und Wissenschaft) ihren autonomen Eigensinn wieder einbüßen und zum Instrument für äußere, sei es politische oder soziale Zwecke werden? So scheint es, wenn Heine »die Schriftsteller des heutigen Jungen Deutschlands« preist, die »keinen Unterschied machen wollen zwischen Leben und Schreiben, die nimmermehr die Politik trennen von Wissenschaft, Kunst und Religion, und die zu gleicher Zeit Künstler, Tribune und Apostel sind«.[30]

Dies jedenfalls ist die Prämisse, von der die unpolitischen Dichter und die Mandarine der deutschen Universität in den zwanziger Jahren ausgehen; unter dieser Prämisse begreifen sie die »Politisierung des Geistes« als einen Verrat an der Autonomie geistiger Strukturen. Hermann Hesse empört sich 1918 über die Dichter, die sich Intellektuelle nennen: »Sie waren ja längst keine Dichter mehr, sie waren Journalisten und Geschäftemacher oder Klugredner ... Als ob ihre Schuld darin bestünde, daß sie bisher zu wenig politisch gewesen, daß sie zu wenig ... an die sogenannte ›Wirklichkeit‹ gedacht hätten! Mein Gott, ... sie hatten sich längst darum gedrückt, das zu tun, wozu ein Dichter allein auf der Welt ist, nämlich um den heiligen Dienst an der Welt, die mehr als wirklich, die ewig ist.«[31] Unter entgegengesetzten Vorzeichen kehrt dieselbe Prämisse bei realpolitisch Gesonnenen wie Max Weber wieder. Auch sie stellen sich den Dichter und den Philosophen, der sich in der Öffentlichkeit engagiert, nur vor als den Promoter einer Entdifferenzierung zwischen Geist und Macht – als den politischen Dilettanten, der schwärmerisch die beiden Sphären vermischt und deren Eigensinn verletzt. Der engagierte Schriftsteller setzt beides zugleich aufs Spiel: die Autonomie von Kunst und Wissenschaft wie andererseits die dem politischen Betrieb eigentümliche Rationalität.

Ich meine, daß diesen beiden Vorwürfen derselbe Fehler zugrunde liegt: die Fetischisierung des Geistes und eine Funktionalisierung der Macht. Beide Ideen greifen ineinander, um den Begriff einer politischen Öffentlichkeit auszuschließen, in der der Intellektuelle allein eine genuine Rolle spielen könnte. Den Weimarer Meistern und Mandarinen stellte sich die Kultur dar als ein nur den Eliten zugänglicher Kontinent, der sich selbst genügt und mit Politik oder Gesellschaft eben keine feste Verbindung unterhält. Ihren Kontrahenten stellte sich umgekehrt die Politik dar als ein funktional spezifizierter Handlungsbereich, der eigene, für den betriebsförmig organisierten Machtkampf zuständige Experten braucht. Zwischen der Kultur der einen und der Politik der anderen bleibt für die politische Öffentlichkeit, und den Intellektuellen in ihr, kein Raum: dieser engagiert sich nämlich (was ihn gleichermaßen vom Journalisten wie vom Dilettanten unterscheidet) für öffentliche Interessen gleichsam im Nebenberuf, ohne dafür seinen professionellen Umgang mit den eigensinnig strukturierten Sinnzusammenhängen aufzugeben, aber auch ohne sich andererseits vom politischen Betrieb organisatorisch vereinnahmen zu lassen. Aus der Sicht des Intellektuellen bleiben Kunst und Wissenschaft gewiß autonom, aber nicht partout esoterisch; für ihn ist die politische Willensbildung gewiß auf das von Berufspolitikern beherrschte System bezogen, aber von diesem nicht ausschließlich kontrolliert.

Dies war auch Heines Sicht. Er hat die Autonomie von Kunst und Literatur stets verteidigt, ohne sie zu fetischisieren. Dem scheinen bekannte Äußerungen entgegenzustehen: »Die Tat ist das Kind des Wortes, und die Goetheschen schönen Worte sind kinderlos« – aber dieser berühmte Satz wendet sich nicht gegen jene, in Goethes Werk repräsentierte Unabhängigkeit der »zweiten Welt«, der Welt des ästhetischen Scheins; er widerspricht nur der quietistischen Konsequenz, die Goethes Parteigänger daraus gegen jede Art von engagierter Schriftstellerei gezogen haben: »die Goetheaner ließen sich dadurch verleiten die Kunst selbst als das Höchste zu proklamieren, und von den Ansprüchen jener ersten Wirklichen Welt, welcher doch der Vorrang gebührt, sich abzuwenden«.[32] Einen anderen Sinn hat auch nicht das berühmte Wort, das in diesem Zusammenhang steht: das Wort über die Kinderlosigkeit jener Verbindung, die Pygmalion mit seiner unter Küssen zum Leben erweckten Statue eingegangen ist. Wie sonst ließen sich das Grauen und der Schrecken Heines vor einer künftigen Herrschaft der Ikonoklasten erklären, die »mit ihren rohen Fäusten« alsdann »alle Marmorbilder meiner geliebten Kunstwelt« zertrümmern.[33]

Wie die Schrift gegen Börne unmißverständlich zeigt, lehnt Heine jene »Männer der Bewegung« ab, die das »Kunstinteresse« bloß in Dienst stellen für das politische Interesse des Tages. Trotzig erklärt er, warum er am Tage seiner Ankunft in Paris nicht zu den Gräbern Voltaires und Rousseaus, sondern zur Bibliothèque Royal geeilt sei, um sich die Manessische Handschrift zeigen zu lassen. Zugleich opponiert er der falschen Alternative zwischen der Fetischisierung des Geistes und einer politischen Instrumentalisierung der Kunst. Mit Hohn zitiert Heine eine Äußerung Börnes: »Wem wie ihm (Heine), die Form das Höchste ist, dem muß sie auch das Einzige bleiben; denn sobald er den Rand übersteigt fließt er ins Schrankenlose hinaus, und es trinkt ihn der Sand.«[34] Heine verlacht den Kontrahenten, der ihm den politischen Abschied geben und nach dem Parnassus in Ruhestand versetzen wollte – nur weil er, Heine, sich geweigert habe, den Eigensinn des ästhetischen Scheins der politischen

Praxis aufzuopfern. Für Heine bleibt die Autonomie von Kunst und Wissenschaft notwendige Bedingung dafür, daß die verschlossenen Kornkammern, die der Intellektuelle allerdings für das Volk öffnen will, nicht leer sind.[35]

(b) Im Streit mit Börne kommt auch das *andere* Thema zur Sprache, der Begriff von Politik, von dem sich der engagierte Schriftsteller Heine leiten läßt. Gegen Börne beharrt er darauf, daß die Waffen des Dichters nicht die des Berufsrevolutionärs – oder des Berufspolitikers – sein können. Freilich erweckt Heines Tenor manchmal einen anderen Eindruck; das junghegelianische Pathos der Tatphilosophie ist ja Heine nicht fremd: »Ihr stolzen Männer der Tat. Ihr seid nichts als unbewußte Handlanger der Gedankenmänner, die oft in demütigster Stille Euch all Euer Tun aufs Bestimmteste vorgezeichnet haben.«[36] Und Heine selbst sieht sich nachts am Schreibtisch sitzen – eine vermummte Gestalt mit dem Richtbeil hinter sich. Während seiner Winterreise, auf dem nächtlichen Domplatz zu Köln, begegnet er diesem Schatten wieder, stellt ihn zur Rede und erhält die Antwort:

»Ich bin von praktischer Natur.
Und immer schweigsam und ruhig.
Doch wisse: was du ersonnen im Geist,
Das führ ich aus, das tu ich.«[37]

Meint Heine damit den Intellektuellen in der Doppelrolle eines »Gedankenmannes«, der als sein eigener »Handlanger« zugleich praktische Wirksamkeit erlangt?

Das entspricht jedenfalls dem Bild, das in den zwanziger Jahren die Aktivisten unter den Schriftstellern von sich entworfen haben. Wilhelm Herzog veröffentlicht 1919 den Aufruf *Organisieren wir endlich die Armee des Geistes*. Im Ton der Zeit verlangt er: »Solidarität aller Fackelträger des Geistes: gegen die Verächter des Geistes, gegen die Verleumder der Revolution, für eine neue Weltordnung, die keine Todesstrafe und keine Versklavung kennt, für eine klassenlose Gemeinschaft aller Menschen.«[38] Wiederum stehen diesen Idealisten die tatsächlich realistischer denkenden Parteileute gegenüber, die sich den Organisationsimperativen unterwerfen, aber deswegen von ihrer Mission keineswegs geringer denken: »An den ... Kopfarbeitern vor allem liegt's, ob die proletarische Revolution kommen wird mit allen Schrecken des Bürgerkriegs, unter den Donnern des Gerichts, oder ob sie sich durchsetzen kann wie ein leichter Herbstwind, der die reife Frucht vom Baume schüttelt... Die Frage ist, ob sie sich der historischen Rolle gewachsen zeigen, die ihnen beschieden ist.«[39] Ob nun das hegelmarxistische Verständnis von Theorie und Praxis ins Verblasen-Idealistische abgelenkt oder ob es leninistisch verflacht wird, Macht und Geist werden zugleich elitär und instrumentalistisch in Beziehung gesetzt – wie die Handlanger zu ihren Gedankenmännern.

Ganz anders aber stellt Heine sich das Zusammenspiel des poetischen Gedankens und der politischen Bewegung vor. Denn jenes Bild von Robespierre als der blutigen Hand der Rousseauschen Gedanken ruft in ihm nichts als Abwehr hervor: »Wenn ich alle Gedanken dieser Welt in meiner Hand hätte – ich würde Euch vielleicht bitten, mir die Hand gleich abzuhauen...«[40] Jener Traum zu Köln findet denn auch eine überraschende Lösung: es sind ja nur die Totengerippe der Heiligen Drei Könige in ihren Sarkophagen, es ist die *spirituelle* Macht einer schimärischen Vergangenheit über eine schon verurteilte Gegenwart, die der Dichter mit seinem Wort zerstören will. Auch sein Liktor verfügt am Ende über keine anderen Waffen als die des Dichters:

> »Er nahte sich, und mit dem Beil
> Zerschmetterte er die armen
> Skelette des Aberglaubens, er schlug
> Sie nieder ohn Erbarmen.«[41]

Der Intellektuelle soll also die Gegenwart allein mit der reflexiven Kraft des Gedankens vom falschen »Zwitterwesen« erlösen –

> »Von gotischem Wahn und modernem Lug
> Das weder Fleisch noch Fisch ist.«[42]

Heines Distanz zu Börne und zu den frühsozialistischen Handwerkern in Paris, Heines Furcht vor dem rechten wie vor dem linken Populismus, sein zwiespältiges Verhältnis zu Marx, zu den »gottlosen Selbstgöttern« und ihrer gleichmacherischen Revolution beruht auf Einschätzungen, die gewiß nicht in jeder Hinsicht der Kritik standhalten; das geheime Zentrum dieser Abneigung sehe ich aber darin, daß Heine zwischen Wort und Tat keinen schlicht instrumentellen Zusammenhang zu sehen vermochte, daß er der Tribunalisierung der Kunst und der Doktrinalisierung des Wissens mißtraute und die Vermittlungen nicht überspringen wollte, die bestehen zwischen der Aufklärung eines urteilsfähigen Publikums und der Anleitung zum organisierten Kampf um die politische Macht. Diese Reserve des auf Meinungen, nicht auf Hirne und Hände einwirkenden Intellektuellen hätte Heine wohl gegenüber dem institutionalisierten Betrieb des Berufspolitikers nicht weniger energisch zur Geltung gebracht wie gegenüber der Bewegung der (in seinen Augen allerdings notwendigen) Revolution.

III

Mit alledem ist Heine für die Intellektuellen von Weimar *nicht* zum Vorbild geworden. In Deutschland hat das intellektuelle Selbstverständnis Heines erst nach 1945 traditionsbildend gewirkt. Erst in der Bundesrepublik hat sich eine Intellektuellenschicht gebildet, die sich selbst als solche akzeptiert. Nun wird der Schritt zur Normalisierung des öffentlichen Engagements von Schriftstellern und zunehmend auch von Wissenschaftlern nachgeholt, den Frankreich schon mit der Dreyfus-Affäre getan hat. Mit dem sozialstaatlichen Kompromiß und der Stillstellung des Klassenkampfes, mit der Expansion von Schul- und Hochschulbildung, mit den elektronischen Medien und einer vom Wort aufs Bild umgestellten Kulturindustrie, mit der Verselbständigung hochbürokratisierter Parteien gegenüber Mitgliedern und Wählern, mit der demoskopischen Kontrolle der öffentlichen Meinung, mit Ideologieplanung und kommerzieller Beschaffung von Massenloyalität hat sich erneut ein Strukturwandel der Öffentlichkeit vollzogen. Vor diesem Hintergrund kommt es mir nur auf eines an: die das deutsche Bildungsbürgertum prägenden Mentalitäten, die noch während der Weimarer Zeit dominierenden Denkmuster mußten erst durch das Nazi-Regime weithin sichtbar korrumpiert werden, bevor auch in Deutschland Heines abgründige, schmerzhafte Distanz zur eigenen Identität und Überlieferung Platz greifen konnte. Ohne diese ist das kritische, zugleich auf Selbstkritik angewiesene Geschäft des Intellektuellen nicht möglich. Erst die Enthüllungen über die Nazi-Verbrechen haben uns die Augen geöffnet für das Monströse und das Unheimliche, das Heine auch in unseren besten, den unverlierbaren Traditionen brüten sah. Den jüdischen Emigranten in Paris hat ein politisch-geographischer, auch ein kultureller Abstand von seiner so ambivalent wie leidenschaftlich geliebten Heimat – und damit von ihm selbst – getrennt. Erst nach 1945 konnten wir diese räumliche Distanz, die zwischen Heine und der Arena seiner eigentlichen Wirkungsabsichten gelegen hat, umformen in eine geschichtliche Distanz – in unser reflexiv gebrochenes Verhältnis zu den identitätsbildenden Überlieferungen und geistigen Formationen. Nun braucht auch das Eigenste, wenn es denn problematisch wird, den intellektuell verfremdenden Blicken nicht länger entzogen zu bleiben.

Impressionistisches Nachwort zur Bundesrepublik

Die Institutionalisierung der Rolle des Intellektuellen nimmt allerdings auch in der Bundesrepublik keinen geradlinigen Verlauf.

Der jüngste Abschnitt der deutschen Intellektuellengeschichte ist schlecht dokumentiert[43]; ich muß mich auf einige Stichworte aus der selektiven Erinnerung eines parteinehmenden Zeitgenossen beschränken.

Nach der Niederlage des Ersten Weltkrieges war die politische Kultur hinter dem Stand der ohnehin halbherzig praktizierten Verfassungsnormen zurückgeblieben. Bei Ungewißheiten der politischen Kultur ist es auch nach 1945 geblieben. Weil aber die militärische Niederlage diesmal mit der Enthüllung einer moralischen Katastrophe verbunden war, haben nicht nur die Institutionen der Verfassung stärker in der Praxis der Verfassungswirklichkeit Wurzeln gefaßt; auch die politische Kultur war von Anbeginn gekennzeichnet durch das Mißtrauen der Intellektuellen gegen falsche Kontinuitäten. Mit einem Kontrastprogramm zur Wiederaufbau- und Sicherheitsmentalität der breiten Bevölkerung und einer restaurativen Regierung hat sich bis Ende der fünfziger Jahre eine Intellektuellenschicht etabliert. In der Öffentlichkeit treten vor allem engagierte Schriftsteller auf, wie die Gruppe 47, aber auch Professoren, die wie Jaspers, Kogon oder Adorno während der Nazi-Zeit hatten schweigen müssen, eingesperrt oder in die Emigration getrieben worden waren. Anders als die Dreyfus-Affäre, mit der sich die Rolle des Intellektuellen in Frankreich erst durchsetzte, bestätigte die *Spiegel*-Affäre nur noch den gelungenen Durchsetzungsprozeß.

Im Vergleich zu Weimar hatte sich das Selbstverständnis der Intellektuellen in doppelter Hinsicht verändert. Zwar behielt das Thema »Geist und Macht« eine sentimentale Note; das wechselseitige Unverständnis, das Intellektuelle und Regierungsparteien füreinander hegten, wich erst mit der sozialliberalen Koalition, mit Gustav Heinemann und Willy Brandt. Aber die Weimarer Prämissen waren schon vorher außer Kurs gesetzt worden: die Fetischisierung des Geistes wie auch das bloß instrumentelle Verständnis der Macht. Wenn man an Figuren wie Heinrich Böll oder Alexander Mitscherlich denkt, die seit den sechziger Jahren den neuen Einfluß der Intellektuellen in einer inzwischen auf Television umgestellten Öffentlichkeit symbolisieren, wird jedem Beteiligten intuitiv deutlich sein, was ich meine. Der zugleich egalitär und fallibilistisch gewordene »Geist«, der sich in solchen Personen verkörperte, hatte beides abgelegt – den elitären Bildungshumanismus und den emphatischen Wahrheitsbegriff der platonisch gebliebenen philosophischen Tradition. Die Intellektuellen hatten sich auch das normative Selbstverständnis der demokratischen Willensbildung zu eigen gemacht: selbst gegen die Tatsachen vertrauten sie auf die sozialintegrative Kraft einer Öffentlichkeit, in der Einstellungen durch Argumente verändert werden sollten.[44]

Die Namen Böll und Mitscherlich tauchen freilich auch in anderem Zusammenhang auf: 1975 widmete ihnen Helmut Schelsky je einen besonders drastischen Exkurs zum Thema »Klassenkampf und Priesterherrschaft der Intellektuellen«.[45] Bei der Lektüre dieses Pamphlets fühlt man sich ins Milieu der Weimarer Zeit zurückversetzt – Intellektuellenbeschimpfung mit theoretischem Anspruch. Was war geschehen?

Inzwischen hatten die Geister von Weimar, eigentümlich verwandelt, ihre gespenstische Auferstehung erlebt. Im Verlaufe der Protestbewegung der Studenten war nämlich auch die von Lukács ausgelöste Debatte über die Stellung des Intellektuellen im Klassenkampf wiederaufgenommen und ins Sozialpsychologische abgewandelt worden. Die Identifikation mit den Führern der nationalrevolutionären Kämpfe in Vietnam, China, Kuba und Südamerika diente den revoltierenden Studenten als Vermittlung, um den »autonomen Klassenverrat des bürgerlichen Intellektuellen« und damit das Wunschbild des Berufsrevolutionärs aus den zwanziger in die sechziger Jahre transponieren zu können. Die Politik der symbolischen Aktionen wurde zu einer kollektiv betriebenen »Praxis der Selbstverwandlung«.[46] Dieses scheinrevolutionäre Selbstverständnis huschte wie ein Schatten der Vergangenheit über eine Bühne, die aber bald von anderen, durch die antiautoritären Aktionen hervorgelockten Kräften besetzt wurde. Jetzt hatte eine Kritik an den Linksintellektuellen ihren Auftritt, die sich ihrerseits aus der Weimarer Waffenkammer alimentierte. Denn die Intellektuellenkritik der siebziger Jahre wird maßgeblich inspiriert durch Arbeiten von Arnold Gehlen, eines enttäuschten Parteigängers der nationalen Revolution, der sich schon Anfang der sechziger Jahre die auf Max Weber zurückgehende Intellektuellensoziologie von Joseph Schumpeter[47] für den tagespolitischen Gebrauch zurechtgelegt hatte.[48]

Was Gehlen als die sozialkritische Aggressivität und Überreiztheit der hypermoralischen Intellektuellen beschreibt, erklärt er aus dem Mißverhältnis zwischen den Informationen, die aus einem weltweit ausgespannten Kommunikationsnetz heranfluten, einerseits, und den fehlenden praktischen Eingriffsmöglichkeiten einer realitätsfernen, nur mit Meinungen hantierenden, von Sachzwängen freigesetzten Profession andererseits. Die Meinungsmacher und »Mundwerksburschen« sind der Komplexität einer hochdifferenzierten, arbeitsteilig operierenden Gesellschaft, auf deren systemisch gesteuerte Prozesse sie keinen Einfluß haben, nicht gewachsen. Deshalb reagieren sie den Groll eines zur Passivität verdammten intellektuellen Zuschauers gesinnungshaft ab, und zwar in den Formen einer »traditionsfeindlichen, weil allumfassenden Solidarethik«, die an der Realität abpralle und sich nur noch zur ungezielten Agitation eigne. Heine hatte die von Rousseau und Kant entwickelte autonome Ethik der Aufklärung gefeiert. Diese nennt Gehlen jetzt »humanitaristische Gesinnungsethik« und begreift sie als bloßen Reflex der freischwebenden, von den Realitäten abgeschnittenen, objektiv verantwortungslosen, kompetenzfreien Position des »im Weltverkehr des Bewußtseins« eingeschlossenen Intellektuellen. Max Webers Gegenüberstellung von gesinnungsethisch unverantwortlichem Dilettantismus und der Tugend des kompetenten, verantwortungsbereiten, realitätsnahen Berufspolitikers kehrt hier wieder, nun freilich verallgemeinernd bezogen auf *alle* Praktiker der Wirtschaft, der Verwaltungen jeder Art, der Verbände und Gewerkschaften, selbst der gelehrten Berufe.[49] Denn als Intellektuelle hatte Gehlen zunächst nicht die engagierten Wissenschaftler, sondern nur Publizisten und Schriftsteller im Visier.

Das ändert sich im Laufe der siebziger Jahre, als der RAF-Terror zugleich den Anlaß und den Vorwand bietet, Gehlens Intellektuellenkritik mit einem anderen Versatzstück aus der Diskussion der zwanziger Jahre, nämlich mit Carl Schmitts Theorie vom innerstaatlichen Feind, anzureichern und auf die universitären Linksintellektuellen auszudehnen. Die Epigonen der einstigen Mandarine waren durch die Protestbewegung provoziert worden. Aus ihren Reihen rekrutierten sich nun jene Gegenintellektuellen, die wie Schelsky und Sontheimer[50] Gehlens Intellektuellenkritik aufnahmen und zu einer Theorie der Neuen Klasse – der »Klasse« der Sinnvermittler – verarbeiteten. Die »Tendenzwende« hat einen neuen Typus, den des Gegenintellektuellen, hervorgebracht. Dieser Gegenintellektuelle tritt nicht nur, wie die Rechtsintellektuellen seit den Tagen der Action Française, als der politische Gegner auf; er kritisiert nicht nur, wie die einander bekämpfenden Weimarer Intellektuellen, negative Züge am Gegenüber; er versucht vielmehr zu erklären, warum die bereits institutionalisierte Rolle des Intellektuellen eine gesellschaftliche Pathologie darstellt. Der Gegenintellektuelle arbeitet mit den Mitteln des Intellektuellen, um zu zeigen, daß es ihn gar nicht geben dürfte. Nach dieser Lesart ist nämlich der Intellektuelle selbst die Krankheit, die er einer ohne ihn gutfunktionierenden Gesellschaft anzudemonstrieren versucht. Einen Stellenwert hat er nur in Theorien, die vor einer »Überpolitisierung« warnen, die die Legitimationslasten der Regierung vermindern möchten, die die gesellschaftliche Rationalität nur noch in den subsystemspezifischen Sachgesetzlichkeiten, nicht mehr in einer demokratischen Öffentlichkeit verkörpert sehen.[51]

Offenbar hatten sich aber die Intellektuellen in der Bundesrepublik nach drei Jahrzehnten schon so fest etabliert, daß die Gegenintellektuellen den Vorgang der Normalisierung nicht mehr aufhalten konnten. Das zeigte sich im Herbst '77, als die konservativen Parteien für kurze Zeit eine durch den Terrorismus, insbesondere die Entführung und Ermordung des Arbeitgeberpräsidenten Schleyer ausgelöste kritische Stimmung für ein Pogrom gegen Linksintellektuelle ausbeuten wollten. Die Ausgrenzungskampagne brach schnell in sich zusammen. Wie die (von F. Duve, H. Böll und K. Staeck herausgegebenen) *Briefe zur Verteidigung der Republik* oder der (von A. Kluge angeregte) Episodenfilm *Deutschland im Herbst* zeigen, haben sich die Intellektuellen rasch und entschieden zur Wehr gesetzt. Auch für die andere Seite hatten die Tendenzwendenaktivitäten einen verblüffenden Effekt. Der Aufstand gegen die Normalisierung einer Rolle, welche doch die neokonservativen Intellektuellen unterdessen selber übernehmen mußten, schlug ironisch auf die Urheber zurück. Unsere rechten Intellektuellen haben aufgehört, sich selbst zu dementieren, und bedienen sich inzwischen der zunächst denunzierten Rolle keineswegs ohne Erfolg. Heute planen sie schon die »Ausstrahlung in die Öffentlichkeit« ein, wenn sie auf Anregung eines CDU-Senators an die Gründung einer Akademie der Wissenschaften herangehen.[52] Dabei gerät der Neokonservative gewiß immer wieder in Versuchung, den Intellektuellen, der er ist, an den Ideologieplaner, der er gerne sein möchte, zu verraten. Auch Heine ist inzwischen rehabilitiert. Das bezeugt aufs schönste die Antwort, die Golo Mann bei ähnlicher Gelegenheit auf die Frage »Heine, wem gehört er?« gegeben hat: »Heine gehört niemandem. Besser: Er gehört allen, die ihn lieben.«[53] Wenn die Figur Heines ein Schattenriß des deutschen Intellektuellen gewesen ist, dann sollte mit einem Heine, der uns allen gehört, die Rolle des Intellektuellen auch in Heines Vaterland unproblematisch geworden sein – ja so trivial, daß darauf die Linken nicht länger einen Monopolanspruch erheben müssen.

Anmerkungen

1 Zit. nach: M. Stark (Hg.), *Deutsche Intellektuelle 1910-1933*, Heidelberg 1984, S. 94.
2 M. Weber, *Politische Schriften*, Tübingen 1958, S. 534.
3 H. Heine, *Sämtliche Schriften*, hg. von K. Briegleb, München 1968 ff., Bd. IV, S. 580.
4 P. U. Hohendahl, *Literarische Kultur im Zeitalter des Liberalismus 1830-1870*, München 1985.
5 W. Hädecke, *Heinrich Heine*, München 1985, bes. S. 7-28.

6 Dieser Ausspruch wird de Gaulle – im Hinblick auf Sartre – zugeschrieben, vgl. R. Debray, *Voltaire verhaftet man nicht: Die Intellektuellen und die Macht in Frankreich*, Köln 1981.
7 D. Bering, *Die Intellektuellen*, Stuttgart 1978, S. 43 ff.
8 Bering (s. Anm. 7), S. 263 ff.
9 In: M. Stark (Hg.) (s. Anm. 1), S. 363.
10 Th. W. Adorno, *Eingriffe*, Frankfurt/Main 1963, S. 32.
11 Diese und die folgenden Formulierungen entnehme ich: Otto Flake, *Von der jüngsten Literatur* (1915), in: Stark (Hg.) (s. Anm. 1), S. 79 ff.
12 Th. Mann, *Politische Schriften*, Frankfurt/Main 1968, Bd. 1, S. 44.
13 Vgl. F. K. Ringer, *The Decline of the German Mandarins. The German Academic Community*, Cambridge/Mass. 1969; dazu meine Rezension in: J. Habermas, *Philosophisch-politische Profile*, Frankfurt/Main 1981, S. 458 ff.
14 R. Becher, *Partei und Intellektuelle*, in: Stark (Hg.) (s. Anm. 1), S. 299.
15 W. Stapel, *Der Geistige und sein Volk* (1930), in: Stark (Hg.) (s. Anm. 1), S. 315.
16 Th. W. Adorno, *Die Wunde Heine*, in: *Noten zur Literatur I*, Frankfurt/Main 1958, S. 145.
17 Adorno (s. Anm. 16), S. 145 f.
18 Heine, *Sämtliche Schriften*, Bd. IV, S. 574 f.
19 Hans Mayer weist (in: *Aufklärung heute*, Frankfurt/Main 1985, S. 139 ff., hier S. 148) auf das radikalste der 1844 publizierten *Neuen Gedichte* (*Sämtliche Schriften*, Bd. IV, S. 325) hin: »Auf diesem Felsen bauen wir / Die Kirche von dem dritten, / Dem dritten neuen Testament, / Das Leiden ist ausgelitten. / Vernichtet ist das Zweierlei, / Das einst so lang betöret; / Die dumme Leiberquälerei / Hat endlich aufgehöret.«
20 Heine, *Sämtliche Schriften*, Bd. V, S. 196 ff.
21 Heine, *Sämtliche Schriften*, Bd. III, S. 641.
22 Heine, *Sämtliche Schriften*, Bd. III, S. 581 f.
23 Heine, *Sämtliche Schriften*, Bd. III, S. 454 ff.
24 In der sonst zutreffenden Analyse von M. Windfuhr, *Zum Verhältnis von Dichtung und Politik bei Heinrich Heine*, in: *Heine-Jahrbuch* 24, 1985, S. 103 ff., bleiben die radikalen Motive eines libertären und hedonistischen Sozialismus, die Heines Distanz sowohl zu Börne wie zu Marx und Ruge erklären, unterbelichtet.
25 Heine, *Sämtliche Schriften*, Bd. III, S. 670.
26 Heine, *Sämtliche Schriften*, Bd. V, S. 232.
27 Die absichtliche Brechung des romantischen Erbes entwickelt Heine in seinen Gedichten zur Virtuosität. Der Widerruf des zarten Tenors, mit dem er sich in den romantisch vorgeprägten Erwartungshorizont des Lesers zunächst einschmeichelt, das Dementi der letzten Zeile,

wird fast zur Routine. Vgl. z. B. aus den *Neuen Gedichten*: *Seraphine X* oder *Yolante und Marie IV.* Dadurch gewinnen freilich die bewegendsten Passagen auch schon etwas Fungibles, ihnen haftet der Schmelz des instrumentalisierten Schönen an. Daraus erklären sich Adornos Vorbehalte gegen Heines Lyrik, der er dessen Prosa vorzieht. Das Verdikt von Karl Kraus klingt nach, wenn Adorno erklärt: »Heines Gedichte waren prompte Mittler zwischen der Kunst und der sinnverlassenen Alltäglichkeit. Die Erlebnisse, die sie verarbeiteten, wurden ihnen unter der Hand, wie dem Feuilletonisten, zu Rohstoffen, über die sich schreiben läßt; die Nuancen und Valeurs, die sie entdeckten, machten sie zugleich fungibel, gaben sie in die Gewalt einer fertigen präparierten Sprache.« Adorno (s. Anm. 16), S. 147.

28 G. Benn, *Der neue Staat und die Intellektuellen*, in: Stark (Hg.) (s. Anm. 1), S. 336.

29 Heine, *Sämtliche Schriften*, Bd. IV, S. 53.

30 Heine, *Sämtliche Schriften*, Bd. III, S. 468.

31 H. Hesse, *Phantasien*, in: Stark (Hg.) (s. Anm. 1), S. 184.

32 Heine, *Sämtliche Schriften*, Bd. III, S. 393.

33 Heine, *Sämtliche Schriften*, Bd. V, S. 232.

34 Heine, *Sämtliche Schriften*, Bd. IV, S. 133.

35 Heine, *Sämtliche Schriften*, Bd. III, S. 514.

36 Heine, *Sämtliche Schriften*, Bd. III, S. 593.

37 Heine, *Sämtliche Schriften*, Bd. IV, S. 591.

38 W. Herzog, *Unabhängigkeits-Erklärung des Geistes*, in: Stark (Hg.) (s. Anm. 1), S. 200.

39 E. Hoernle, *Die Kommunistische Partei und die Intellektuellen*, in: Stark (Hg.) (s. Anm. 1), S. 255.

40 Heine, *Sämtliche Schriften*, Bd. III, S. 593.

41 Heine, *Sämtliche Schriften*, Bd. IV, S. 595.

42 Heine, *Sämtliche Schriften*, Bd. IV, S. 617.

43 Vgl. H. Glaser, *Bundesrepublikanisches Lesebuch. Drei Jahrzehnte geistiger Auseinandersetzung*, München/Wien 1978.

44 Vgl. zu diesen Beobachtungen H. Brunkhorst, *Im Schatten der Wahrheit. Notizen über Philosophie und Denken mit öffentlichem Anspruch*, in: *Neue Rundschau* 95, 1984, S. 120 ff.

45 So der Untertitel von H. Schelsky, *Die Arbeit tun die anderen*, Opladen 1975.

46 A. Steil, *Selbstverwandlung und Ich-Opfer. Zur Ethik des Klassenverrats*, in: *Düsseldorfer Debatte* 10, 1985, S. 27 ff.

47 J. Schumpeter, *Kapitalismus, Sozialismus und Demokratie*, 2. Aufl., Bern 1950, S. 235 ff.

48 A. Gehlen, *Das Engagement der Intellektuellen gegen den Staat*, in: ders., *Einblicke*, Frankfurt/Main 1978, S. 253 ff.

49 Gehlen (s. Anm. 48), S. 255.

50 K. Sontheimer, *Das Elend unserer Intellektuellen. Linke Theorie in der Bundesrepublik Deutschland*, Hamburg 1976, S. 263 ff.

51 H. Dubiel, *Was ist Neokonservatismus?*, Frankfurt/Main 1985. Das *FAZ*-Feuilleton besorgt sich neuerdings Gastkolumnen aus dem Ausland, um die Polemik der eingeborenen Gegenintellektuellen zu verstärken. Am Beispiel von Günter Grass beklagt Hilton Kramer (in der *FAZ* vom 11.4.86), daß die oppositionellen Intellektuellen zum »Hindernis der Demokratie« geworden seien.

52 *Denkschrift für die Gründung einer Akademie der Wissenschaften zu Berlin*, S. 15. Vgl. auch die von der Alternativen Liste Berlin herausgegebene *Streitschrift gegen die Akademie der Wissenschaften zu Berlin*, Berlin 1986.

53 G. Mann, *Heine, wem gehört er?*, in: *Neue Rundschau* 83, 1972, wieder abgedruckt in: G. Busch, J. H. Freund (Hg.), *Gedanke und Gewissen*, Frankfurt/Main 1986, S. 465 ff.

3. Zwei Interviews

Aus Anlaß des siebzigjährigen Gründungsjubiläums der Frankfurter Universität, die sich nach dem bürgerlichen Johann Wolfgang Goethe nennt, hat mich Josef Früchtl interviewt. Das Interview mit Helmut Hein fand im April 1986 bei Gelegenheit eines Jubiläums der Atlantis-Buchhandlung in Regensburg statt.

Kritische Theorie und Frankfurter Universität

FRÜCHTL Das geistige Klima der Entstehungszeit der Kritischen Theorie mutet von heute aus gesehen fast exotisch an. Im institutionellen Rahmen der Humboldtschen Universität mit ihrer sozial weitgehend homogenen Schicht des gebildeten Bürgertums und einem Professorentypus, der – wie durch Cornelius, den Lehrer Horkheimers und Adornos, repräsentiert – im weißen Bart eher das Bild eines *homme de lettre* abgibt, treffen Neukantianismus, Phänomenologie und Metaphysik aufeinander, machen sich der Einfluß der Psychologie Jungs und der von Klages geltend. Wenn man von der schulphilosophischen Herkunft aus dem Neukantianismus absieht, sind Horkheimer, Adorno, Löwenthal, mit Abstrichen auch Benjamin dagegen von der damals noch verfemten Psychoanalyse, revolutionärem Radikalismus und jüdischem Messianismus inspiriert; Blochs *Geist der Utopie* liefert eine theoretische Synthese, Lukács' *Geschichte und Klassenbewußtsein* das schulbildende Marx-Verständnis. Wie hoch muß vor diesem historischen Hintergrund der Teil der Theorie veranschlagt werden, der an die (unersetzbare) Authentizität der Personen geknüpft ist? Wieweit ist Kritische Theorie – nach der Mutmaßung von Dubiel – »eine personell repräsentierte, nicht immer verallgemeinerbare Lebens- und Denkform«?

HABERMAS Helmut Dubiel hat auf der Adorno-Konferenz, die im letzten Herbst an der Frankfurter Universität stattfand, die Aktualität der älteren Kritischen Theorie auf eine ironische Weise verteidigt. Er hat deren Aussagen schonungslos kritisiert und gerade dadurch die Relevanz und Fruchtbarkeit der zugrundeliegenden Fragestellungen ins rechte Licht gerückt. Eine Forschungstradition bleibt nur lebendig, wenn sich ihre alten Intentionen im Lichte neuer Erfahrungen bewähren; und das geht nicht ohne Preisgabe überholter theoretischer Inhalte. Das ist doch die normale Einstellung zu theoretischen Traditionen, erst recht die zu einer Theorie, die auf ihren eigenen Entstehungszusammenhang reflektiert. Horkheimer hat ja die »kritische« von der »traditionellen« Theorie unter anderem dadurch unterschieden, daß sie sich als Bestandteil derselben gesellschaftlichen Prozesse sieht, die sie zugleich erklären will. Adorno spricht deshalb vom »Zeitkern der Wahrheit«. Angesichts einer solchen Theorie ist »Verabschiedung« oder »Konservierung« nicht die richtige Alternative. Statt dessen sollte man sich explorativ verhalten und zusehen, wie weit man heute mit dem Versuch kommt, die kritische Gesellschaftstheorie rücksichtslos revisionistisch und selbstkritisch fortzusetzen.

Andererseits verweisen Sie mit Recht auf den besonderen Entstehungskontext der zwanziger Jahre, auf jenen spezifischen Geist des literarischen, linksintellektuellen, jüdisch-bürgerlichen Milieus in Städten wie Berlin und Frankfurt, in dem sich Motive des Messianismus und des deutschen Idealismus mit zeitgenössischen Elementen des Expressionismus und der damals neuen Psychoanalyse zu jenem einmaligen Gebilde verbunden haben, das Merleau-Ponty später westlichen Marxismus nennen sollte. Die Physiognomie dieses Geistes ist an eine unwiederholbare Situation gebunden; eine derart historisch gewordene Gestalt des Geistes kann bestenfalls bezeugt werden durch die Präsenz von Überlebenden, von eindrucksvollen Personen. Auf jener Adorno-Konferenz haben uns die bewegende Rede, die Spontaneität und die schlichte Anwesenheit von Leo Löwenthal an jenen unvergleichlichen Kontext erinnert, der unwiederbringlich dahin ist. Freilich gibt es Konstellationen, damals wie heute, die sich ähneln. Die doppelte Frontstellung der alten Frankfurter gegen Positivismus auf der einen, Lebensphilosophie, überhaupt metaphysischen Obskurantismus auf der anderen Seite, ist leider wieder aktuell geworden. Sie erinnern an C. G. Jung und Klages, heute heißen die Leute Lacan und Guattari.

FRÜCHTL Löwenthal hat über die Kritische Theorie als – nach Adornos Wort – »Flaschenpost« bemerkt: »Wir alle haben uns dann freilich in den sechziger Jahren sehr gewundert, mit welch einem Knall diese Flasche entkorkt worden ist.« Wieweit ist es gerade der spezifische historische Hintergrund, schließlich die Konfrontation der Theorie mit dem Totalitarismus Hitlers und Stalins, der die explosive Mischung der »alten« Kritischen Theorie bewirkt? Und ist es so inkonsequent, heute die Idee der Kritischen Theorie in dem vom Neostrukturalismus formulierten »Paradigma« des Körpers fortzuschreiben? Gilt nicht für Adorno wie für Foucault, daß die Sensibilität für das Leiden auch das Maß für die Zivilisation aufrichtet?

HABERMAS Die unvorhersehbare Breitenwirkung der Kritischen

Theorie Ende der sechziger Jahre hat gewiß damit zu tun, daß diese Theorie tatsächlich vollgesogen war mit den biographischen und zeitgeschichtlichen Erfahrungen von exilierten Juden und unorthodoxen Linken. So konnte sie als Katalysator wirken in einer Situation, in der sich Teile der studierenden Nachkriegsgeneration einer von ihren Eltern nicht bewältigten Vergangenheit konfrontiert sahen. Aber auch der theoretische Gehalt selber korrespondierte irgendwie mit dem Ende der Adenauer-Ära. Horkheimer und sein Kreis hatten ja, anders als die orthodoxen Marxisten, ihre ganze Energie darauf verwandt, die Stabilität, die gesellschaftlichen Integrationsleistungen des entwickelten Kapitalismus zu erklären – nicht die Krisen, sondern das Ausbleiben von Krisen mit revolutionärem Ausgang. Auch die Bundesrepublik vermittelte damals – jedenfalls mehr als heute – die alltägliche Erfahrung einer, wie ihr Exponent Erhard das nannte, formierten Gesellschaft.

Im übrigen gehört es zur Wirkungsgeschichte von Ideen, daß sie sich nicht antizipieren läßt. Heute wird die *Dialektik der Aufklärung* anders gelesen. Einige lesen sie mit den Augen der französischen Poststrukturalisten. Wie Axel Honneth gezeigt hat, bestehen in der Tat Ähnlichkeiten, beispielsweise zwischen Adorno und Foucault. Aber Adorno hätte sich gegen eine *assimilierende* Lesart zur Wehr gesetzt, vielleicht mit der Formel, die er oft gebrauchte: gerade die kleinen Unterschiede bilden den Unterschied »ums Ganze«. Bei aller Radikalität seiner Vernunftkritik hat Adorno doch niemals von dem abgelassen, was die große Philosophie mit Vernunft einmal intendiert hatte. Gewiß, der klinische Zustand einer Zivilisation bemißt sich an den scheinbar peripheren Opfern, an den vermeidbaren Leiden, die sie uns abverlangt. Wenn man aber diesem kritischen Impuls nachgibt, darf man dann auch noch die Vernünftigkeit der intuitiv in Anspruch genommenen Maßstäbe dementieren?

FRÜCHTL Der Vizepräsident der Universität Frankfurt hat bei der Adorno-Konferenz 1983 von einem »komplizierten Verhältnis zwischen Adorno und dieser Universität« gesprochen und damit auf die sich in Konventionsverstößen äußernden Vorbehalte gegen den kritischen Philosophen gedeutet. Wäre dieses Verhältnis heute einfacher? Allgemeiner: Wie schwer hat es heute ein Wissenschaftler, wenn er sich öffentlich als Marxist bekennt? Müßte selbst ein international so renommierter Philosoph wie

Jürgen Habermas in Bayern oder Niedersachsen einen Verpflichtungsschein zur freiheitlich-demokratischen Grundordnung unterschreiben?

HABERMAS Die akademischen Vorbehalte gegenüber Adorno haben sich, glaube ich, aus ähnlich trüben Quellen gespeist wie jene, die zwei Generationen früher die Karriere eines Georg Simmel behindert haben. Simmel hat man eine relativistische Einstellung zum Christentum vorgeworfen. Seine unorthodoxe Denk- und Vortragsweise wirkte provozierend. Sein Erfolg bei den Studenten, seine Wirkung auf das große Publikum erweckten Neid. Antisemitismus verband sich mit der Ranküne gegen den schriftstellernden Intellektuellen. Diese Quellen sind inzwischen mehr und mehr versiegt – schließlich gibt es sie auch nicht mehr: diese letzte Generation der unvergleichlich produktiven deutsch-jüdischen Intellektuellen, die die Frankfurter Universität (in den zwanziger Jahren vor allem, und dann durch Horkheimer und Adorno noch einmal nach dem Kriege) geprägt hat. Heute kristallisieren sich ähnliche Vorbehalte um andere Dinge.

Was mich betrifft – ich erlebe die Stadt und die Universität Frankfurt heute als ein liberales Milieu. Gewiß, jene Universität, die ihren Sitz zu Füßen der bayerischen Landesregierung hat, konnte sich auch beim wiederholten Anlauf nicht zu dem Routineentschluß durchringen, dem Direktor eines benachbarten Max-Planck-Instituts die völlig einflußlose Stellung eines Honorarprofessors einzuräumen. Das empfinde ich eher als kurios. Weniger kurios war der Versuch der Regierung Albrecht, den Loyalitätseid der McCarthy-Ära wiederzubeleben. Dabei ging es ja nicht um die Treue zu den Grundsätzen unserer Verfassung, die die Freiheit der Lehre nicht behindern kann. Es ging 1977 um die erklärte politische Unterwerfung unter die konkrete Verfassungswirklichkeit, die konkrete Ordnung eines einäugigen Regimes. Das war die Begleitmusik zum Deutschen Herbst.

Als besorgniserregend empfinde ich heute etwas anderes – ich meine die Diffamierungskampagnen von seiten unserer neu-konservativen Kollegen. Gestern lese ich beispielsweise in der *FAZ*, die ja auf diese Dinge spezialisiert ist, einen mit wissenschaftlichem Anspruch auftretenden Artikel von Frau Noelle-Neumann. Darin heißt es: »Die Habermassche Konnotation von Erkenntnis und Interesse aus den sechziger Jahren scheint die Erwartung und den Anspruch an eine selbstkritische, sich selbst reinigende Fähigkeit des Verstandes gänzlich zerstört zu haben.« (*FAZ*, 24. Juli 1984) Nicht die offensichtliche Unwahrheit dieser Behauptung stört mich, sondern die absichtsvolle Verbreitung solcher Unwahrheiten. Was in der Bundesrepublik immer weiter zerstört wird, sind die schwer regenerierbaren Selbstverständlichkeiten einer ohnehin schmächtig ausgebildeten Kultur des Umgangs mit politisch Andersdenkenden – Rosa Luxemburg ist bei uns eben weniger heimisch geworden als Elisabeth Noelle-Neumann.

FRÜCHTL Der Zeitgeist hat sich im Laufe der siebziger Jahre von der Kritischen Theorie abgewendet. Parolen wie »Neue Innerlichkeit« und »Denken aus dem Bauch«, der Neostrukturalismus und die *Kritik der zynischen Vernunft* machten Furore. Die Soziologie, die in Frankfurt zumal schon in den zwanziger Jahren vor allem durch Oppenheimer und Mannheim berühmt war, ist auch als kritische in den Ruf des schlecht Abstrakten gekommen. Das Ende der alten edition suhrkamp, so kann man es auch institutionalisieren, ist auch ein Ende der inflationär betriebenen soziologischen Analyse. Liegt über dem Plädoyer des Band 1000 der edition suhrkamp, »der Nachwelt die Erinnerung an ein Sittendokument unserer Tage zu erhalten«, nicht doch ein Hauch von Resignation? Ist – einen Schritt weiter – die soziologische Analyse nicht ein melancholisches Unternehmen, wenn man vor Augen hat, wie ihre Resultate einander abwechseln und dazu noch die Funktion modischer Slogans erfüllen, im geistigen Konsumismus sozusagen angelutscht und dann weggelegt werden?

HABERMAS Das Sittendokument, von dem ich an dieser Stelle gesprochen habe, war nicht die edition suhrkamp, sondern ein besonders widerwärtiges Beispiel jener Diffamierung, von der ich eben sprach. Im übrigen bin ich keineswegs resigniert. Die ersten drei Semester, die ich nun wieder an der hiesigen Universität lehre, machen mir vielmehr Mut. Vielleicht sollte man psychologische Begriffe überhaupt nicht auf den Tenor von Theorien anwenden. Wer auch in der theoretischen Arbeit vom utopischen Gehalt unserer besten Traditionen nicht ablassen will, sollte weder Pessimismus noch Optimismus verbreiten wollen. Man muß seine Dinge so präsentieren, daß dadurch das Bewußtsein für die Ambivalenz der Verhältnisse gestärkt wird. Für das geduldige Bohren dicker Bretter braucht man Frustrationstoleranz und ein bißchen Ich-Stärke eher als eine Frohnatur. Die Schicksale der Soziologie und der Gesellschaftstheorie sollte man nicht anhand kurzfristig wechselnder Rezeptionsmoden beurteilen. Sie erinnern mit Recht an Oppenheimer und Mannheim; Sie hätten Heller, Sinzheimer, Grünberg, Tillich und viele andere nennen können – gerade die Universität Frankfurt hat in den 70 Jahren ihres Bestehens international bekannte Sozialwissenschaftler hervorgebracht, an deren Produktivität kein vernünftiger Mensch zweifelt. Hingegen ist jene Kritik an der Soziologie, die heute als »Antisoziologie« auftritt, ein wohlbekanntes ideologisches Muster, das sich über die Nazi-Zeit bis weit ins 19. Jahrhundert zurückverfolgen läßt. Dieser Reflex gehört sozusagen zur Innenausstattung von Reaktionsperioden. Man muß eben unterscheiden zwischen der kontinuierlichen Geschichte der Gesellschaftstheorie und den episodischen Wirkungen einzelner Theorien, die, wenn sie diesen Namen verdienen, weltanschauliche Bedürfnisse enttäuschen *müssen*.

FRÜCHTL In einer Studie über die Studenten der frühen achtziger Jahre bezeichnen P. Glotz und W. Malanowski als entscheidende Gefährdung der deutschen Universität den Verlust ihres vom deutschen Idealismus geprägten Selbstbewußtseins als der Funktion, der jungen Generation lebenspraktische Orientierung zu bieten. Die Universität als modernes Dienstleistungsunternehmen löse das Problem der Identitätsfindung von den spezialisierten Wissenschaften ab und verweise es an die Privatinitiative. Sie haben dazu vor zwanzig Jahren in Ihrem Aufsatz *Vom sozialen Wandel akademischer Bildung* Stellung genommen. Würden Sie auch heute, nach den Vorwürfen an die »soziale Öffnung« und »falsche Demokratisierung«, auf dieser Stellungnahme bestehen? Konkreter: Ist auch heute die Aufgabe einer akademischen Bildung die »Rückübersetzung von wissenschaftlichen Resultaten in den Horizont der Lebenswelt«?

HABERMAS Was ich damals über akademische Bildung gesagt habe, halte ich nach wie vor für richtig. Die Universität soll nicht nur Wissen vermitteln: sie greift ja so oder so in den Bildungsprozeß von jungen Menschen ein, welche sie in Forschungstraditionen einführt. Andererseits kann die Bildungsaufgabe auch nicht einfach vom seriösen Geschäft der Wissensvermittlung abgespalten und arbeitsteilig der Philosophie übertragen werden – diese ist selbst zu einer unter anderen Disziplinen geworden.

FRÜCHTL Sie haben öfter darauf hingewiesen, daß die Rolle der Philosophie als Fundamental- oder Hyperwissenschaft wie als ein in einzelnen Philosophen verkörpertes Denken ausgespielt sei. Ist Philosophie wenigstens noch als Statthalter eines Anspruchs auf Einheit und Verallgemeinerung aufrechtzuerhalten? Läßt sich die von Ihnen geforderte Kooperation der Philosophie mit den Einzelwissenschaften praktizieren?

HABERMAS Ich komme gerade von einer Konferenz, wo Philosophen und Psychologen eine Woche lang über Moralentwicklung diskutiert haben. Es gibt Gebiete, auf denen die Kooperation klappt. Andererseits hat die Philosophie auch heute keineswegs nur die Aufgabe, in Kooperation mit anderen Wissenschaften den Anspruch auf Einheit und Verallgemeinerung, wie Sie mit Recht sagen, zur Geltung zu bringen.

Sie hat ja seit jeher eine besonders intime, freilich auch paradoxe Beziehung zum Alltagswissen unterhalten. Sie ist dem *common sense* nah und fern zugleich. Wie dieser bewegt sich die Philosophie im Umkreis der Lebenswelt, steht in derselben Beziehung zur Totalität des alltäglichen Wissenshorizonts wie dieser, und ist doch dem *common sense* ganz und gar entgegengesetzt durch die subversive Kraft der Reflexion, der aufhellenden, kritischen und zerlegenden Kraft der Analyse.

Wegen ihrer Verwandtschaft mit dem Orientierungswissen des gesunden Menschenverstandes ist die Philosophie auch noch ein bißchen mehr als die Wissenschaft sonst darauf angewiesen, von einigermaßen überzeugenden Personen vertreten zu werden. Damit meine ich etwas anderes als das herkömmlicherweise elitäre Selbstverständnis der Philosophie, die glaubt, mit einer herausgehobenen Lebensform so verwoben zu sein wie eine Religion mit dem ausgezeichneten Heilsweg des Eremiten oder des Wandermönches. Es ist wichtig, daß man die Philosophie in demselben Bewußtsein der Fehlbarkeit ausübt wie irgendeine andere Wissenschaft. Die Einheit von Werk und Person ist eine etwas naive Forderung, gegen die sich Adorno immer gewendet hat. Aber es ist auch klar, daß der akademische Lehrer glaubhaft versuchen sollte, für das einzustehen, was er sagt.

Über Moral, Recht, zivilen Ungehorsam und Moderne

HEIN Herr Habermas, der Intellektuelle ist für Sie der Anwalt verallgemeinerungsfähiger Interessen. Er orientiert sich bei seinen öffentlichen Appellen und Inverventionen an den Prinzipien einer universalistischen Moral. Aber ist nicht Arnold Gehlens Einwand sehr ernst zu nehmen, eine solche, wie er es nennt, »Hypermoral«, die sich nicht damit zufriedengebe, den Nahbereich, das unmittelbare Aktionsfeld zu regeln und zu normieren, sondern gleichsam eine generelle und unbegrenzte Zuständigkeit und Verantwortlichkeit schaffe, müsse den einzelnen überfordern und sei letzten Endes nicht lebbar.

HABERMAS Die autonome Moral, ein Produkt der Aufklärung, die auf Rousseaus und Kants Konzeption der menschlichen Freiheit als Selbstbestimmung zurückgeht, ist natürlich der Lebenswirklichkeit fremd. Es handelt sich dabei, wenn Sie so wollen, auch um etwas Gewalttätiges, um eine Abstraktion. Das gilt im übrigen und zunehmend mehr auch für die theoretischen Wissenschaften. Beide, Wissenschaft und Moral, werden nur in vermittelter Form wirksam und wirklich. Aber: die konkreten, partikularen, in ganz bestimmten Lebensformen verwurzelten Moralen sind heute nur noch akzeptabel, wenn sie einen universalistischen Kern haben. Denn sie müssen im Ernstfall verhindern können, daß so etwas wie »Shoah« wieder passiert. Sonst sind sie nichts wert und lassen sich nicht rechtfertigen. Man sollte, was die praktische Geltung universalistischer Moralprinzipien angeht, auch nicht zu skeptisch sein. Es gibt ja kaum mehr eine Verfassung ohne geschriebenen oder ungeschriebenen Grundrechtsteil. Und daß uns diese Grundrechte im Fall der Fälle, was immer auch der einzelne ansonsten von sich geben mag, lieb und teuer sind, liegt doch auf der Hand.

HEIN Nun ist es freilich so, daß sich auch die Amerikaner bei ihrer »Aktion« gegen Libyen auf »universale« Rechtsprinzipien beriefen, denen überall auf dieser Erde Geltung zu verschaffen sei. Muß das nicht zu denken geben?

HABERMAS Nein! Es geht nicht um universalistische Rhetorik,

sondern um konkrete Handlungen. Die muß man rechtfertigen können. Die Aktion gegen Libyen – die ich im übrigen für so katastrophal halte, daß ich mich zum ersten Mal seit Jahren wieder einer Demonstration angeschlossen habe –, diese Aktion verstößt gegen das Völkerrecht und gegen eine ganze Reihe leicht einsehbarer Normen. Sie setzte zum Beispiel mutwillig das Leben Unschuldiger aufs Spiel; das ist unter keinen Umständen zu rechtfertigen.

HEIN Spielte beim amerikanischen Vorgehen nicht auch eine tief in der europäischen Philosophie der Neuzeit verankerte Überzeugung eine Rolle, nämlich eine Gleichsetzung von Macht und Recht, wie sie sich schon bei Hobbes und Spinoza findet?

HABERMAS Das glaube ich nicht. Was die Amerikaner antreibt, ist eher eine amelioristische Geschichtskonzeption. Und bei Reagan selbst handelt es sich wohl eher um eine Cowboyphilosophie (mit Lockeschen Elementen durchsetzt), die man nicht einer ganzen Nation anlasten darf. Freilich muß man bedenken – und das hat nun schon mit Hobbes etwas zu tun –, daß zwischen den Staaten nach wie vor der Naturzustand herrscht. Im Innern eines Landes ist die Zumutbarkeit der universalistischen Prinzipien an die Tatsache gebunden, daß es eine Instanz gibt – eben den Staat –, die garantiert, daß sich auch die jeweils anderen an die Normen halten. Das Problem ist: wie läßt sich der internationale Verkehr einigermaßen an anerkannte Grundsätze der universalistischen Moral binden, wenn es eine solche Instanz nicht gibt und vielleicht auch gar nicht geben sollte? Denn ein Weltstaat, von dem in der Vergangenheit manche geträumt haben, wäre ja nach Lage der Dinge eher etwas zu Fürchtendes. Bei dieser Privataktion Reagans braucht man nicht einmal moralische Argumente zu bemühen. Auch nach den eigenen Prämissen amerikanischer Politik ist dieser ganze Vorgang zutiefst unakzeptabel und kontraproduktiv. Was sich da im Augenblick abspielt, ist eine engstirnige, bloß noch auf die USA bezogene und von innenpolitischen Stimmungslagen abhängige Außenpolitik.

HEIN Sie haben schon vor einiger Zeit für die Möglichkeit und Notwendigkeit zivilen Ungehorsams in einer »reifen« Demokratie plädiert. Von ihren Gegnern, etwa in der *FAZ*, wird argumentiert, daß auch universalistisch begründete Regelverletzungen sozialen Unfrieden und in letzter Konsequenz den »Bürgerkrieg« hervorrufen, weil ja beliebige Individuen und Gruppen solche

Wahrheitsansprüche erheben werden und dann der Kampf, die gewalttätige Auseinandersetzung, den Konflikt entscheiden muß.

HABERMAS Dazu ist dreierlei zu sagen. Erstens: Ziviler Ungehorsam darf nicht mit beliebigen privaten Weltanschauungen begründet werden, sondern nur mit den Prinzipien, die in der Verfassung selbst verankert sind. Zweitens: Ziviler Ungehorsam unterscheidet sich von einer revolutionären Praxis oder einer Revolte ja gerade dadurch, daß er auf Gewalt ausdrücklich verzichtet. Die ausschließlich symbolischen Regelverletzungen – die zudem nur eine letzte Zuflucht darstellen, nachdem alle anderen Möglichkeiten ausgeschöpft wurden – sind nur ein besonders dringender Appell an die Einsichtsfähigkeit und -willigkeit der Mehrheit. Drittens: Eine Position, wie sie Hobbes, Carl Schmitt oder eben auch die *Frankfurter Allgemeine Zeitung* vertreten, bei der Rechtssicherheit nicht nur zum obersten, sondern zum alleinigen moralischen Gehalt einer Ordnung wird, zum einzigen Grund, mit dem sich ein Rechtssystem legitimieren läßt, scheint mir äußerst problematisch. Rechtsstaatliche Demokratien geben sich ihrem Selbstverständnis nach mit diesem ethischen Minimum nicht zufrieden. Man möchte schließlich gerne wissen, unter welchen Bedingungen und wozu der Rechtsfriede aufrechterhalten werden soll. Immer wieder kann beispielsweise eine innen- oder außenpolitische Krisensituation eintreten, in der es diesem Argument zufolge nützlich oder geboten erscheinen könnte, zugunsten eines formalen Rechtsfriedens für die überwiegende Mehrheit eine Minderheit auszugrenzen.

HEIN Und »Rechtsfriede pur« könnte es auch in einem Orwellschen Staat, in einer totalitären Diktatur geben.

HABERMAS Sicher!

HEIN Herr Habermas, vielleicht könnten wir noch ein wenig über das »Projekt der Moderne« sprechen, das Sie für unabgeschlossen und weiterführenswert halten, das aber von anderen, auch der modischen neueren französischen Philosophie mit einer gewissen grimmigen Lust für gescheitert erklärt und zu Grabe getragen wird.

HABERMAS Zunächst müßte man einmal diesen schillernden Begriff der »Moderne« klären. Am Anfang, d.h. Ende des 18. Jahrhunderts, stand die Erfahrung, daß man in einer Gesellschaft und in einer Zeit lebt, in der alle vorgegebenen Leitbilder und Normen zerfallen sind und man sich demzufolge eigene suchen muß.

Die Moderne ist so gesehen primär eine Herausforderung. Positiv formuliert ist diese Epoche wesentlich bestimmt durch die individuelle Freiheit, und zwar in dreierlei Hinsicht: als Freiheit der Erkenntnis, als Freiheit der Selbstbestimmung – keine Norm anzuerkennen, deren Sinn man nicht aus freien Stücken einsieht – und als Freiheit der Selbstverwirklichung. Ich bin nicht einfach ein Apologet der Moderne, ich sehe durchaus ihre Ambivalenzen, ihre dunklen Seiten; vor allem die Eigenart moderner Gesellschaften, daß sie sich immer wieder – das gehört gewissermaßen zu ihrer Struktur – im Zuge der Entfaltung ihrer Potentiale selbst gefährden. Im Augenblick sehe ich solche Gefährdungen vor allem im ökonomischen und im militärisch-strategischen Bereich. Damit die kapitalistische Maschine wieder in Gang kommt, nimmt man eben zweieinhalb und demnächst vielleicht drei oder mehr Millionen Arbeitslose in Kauf. Man versucht, einen Konsens der Mehrheit herzustellen, der ein Konsens der Gefühllosigkeit ist, der sich mit der Marginalisierung von Minderheiten abfindet. Rationale Politik scheint in diesem Bereich kaum mehr möglich. Wackersdorf zum Beispiel ist ein Symbol für die Unfähigkeit, mit den eigenen Produktivkräften, die für sich genommen ja durchaus nützlich sind, umzugehen. Sonst würde man zögern, zukünftige Generationen in unabsehbarer Weise an heutige Risiken zu binden.

HEIN Läßt sich Ihre Sicht der Moderne auf einen knappen Nenner bringen?

HABERMAS Erstens: Sie ist nicht selbstgewählt und deshalb auch nicht per Dezision, per Willensakt abschüttelbar. Zweitens: Sie hat nach wie vor auch normativ überzeugende Gehalte. Drittens: Ich sehe durchaus, daß in die gesellschaftliche und ökonomische Entwicklung der Moderne strukturelle Selbstgefährdungen eingebaut sind, die aber sowohl von den Neokonservativen wie von den Poststrukturalisten vereinseitigt wahrgenommen werden. Es kommt darauf an, die Komplexität und Ambivalenz des ganzen Prozesses zu sehen und auszuhalten. Die Neokonservativen wollen dagegen eine auf den technischen und ökonomischen Sektor begrenzte Schrumpf-Moderne, die mit zynisch wiederaufbereiteten Traditionspolstern abgefedert werden soll. Gleichzeitig werden die Potentiale der universalistischen Moral und der autonomisierten Kunst abgewertet.

HEIN Aber ist es nicht so, daß wesentliche Positionen der

Moderne in ihrer Möglichkeit und Gültigkeit gebunden sind an Voraussetzungen, die heute obsolet geworden sind, an Gott und die Unsterblichkeit der Seele zumindest als Praxispostulate bei Kant oder in der Hegel-Marxschen Tradition an die teleologische Geschichtskonzeption?

HABERMAS Das Problematische der Moderne wird um so sichtbarer, je mehr ihre Verankerung in vormodernen Überzeugungen abreißt. Aber man kann's auch so sehen: jene Potentiale, beispielsweise die der kantischen Religionsphilosophie, waren noch, wenn auch hilfreiche, Selbstmißverständnisse der Moderne, die heute vielleicht nicht mehr haltbar sind. Dennoch läßt sich die normative Substanz der Moderne, vor allem Selbstbestimmung und Selbstverwirklichung, in anderer Form, strikt nachmetaphysisch verteidigen. Die Ideen der Aufklärung sind auch nicht pure Abstraktionen; sie sind als unvermeidliche, oft kontrafaktische Voraussetzungen in die kommunikative Alltagspraxis und damit in die Lebenswelt eingelassen; zum Teil sind sie auch in den Institutionen des politischen Systems, wie fragmentarisch auch immer, verwirklicht.

HEIN Aber ist die kommunikative Rationalität nicht auch nur eine Fiktion, vergleichbar dem Kantschen Gott oder der Geschichtsteleologie?

HABERMAS Das müßte erst überzeugend gezeigt werden. Sicher würde das der harte empiristische Naturalismus der Neokonservativen oder der anarchisch-zynische Poststrukturalismus so sehen. Es ist ja auch für mich nicht einfach ein Dogma. Ich kann nicht voraussehen, was in hundert Jahren ist; einstweilen habe ich eine Menge Argumente gesammelt, die zeigen können, daß dieses Konzept der kommunikativen Rationalität am besten geeignet ist, zu erklären, daß moderne Gesellschaften nicht allein und nicht in erster Linie durch Geld und Macht zusammengehalten werden.

HEIN Festzustellen ist doch im Augenblick, wenn auch vielleicht vorläufig erst in einer kleinen Schicht, eine Tendenz zur Ästhetisierung, Subjektivierung, »Entwirklichung« der Wirklichkeit. Die Franzosen spielen da eine wichtige Rolle ...

HABERMAS Der ästhetisch inspirierte subjektivistische Zynismus, der eine Art von spielerisch-freundlichem Disengagement verheißt, ist durchaus auch ein Stück Moderne; ich sehe darin aber den Reflex einer Vereinseitigung. Zu diesem ästhetisierend vereinseitigten Lebensstil könnte man Ähnliches sagen, was Max

Weber vor über einem halben Jahrhundert schon gegen die »erotisierten Gegenkulturen« als seine Vorbehalte formuliert hat. Letztlich geht es um die Lebenshaltung einer allgemeiner gewordenen Bohème. Die Bohème hat seit der Mitte des vorigen Jahrhunderts ihren notwendigen und sinnvollen Platz gefunden als die Lebensform derer, die ihr Dasein tatsächlich und buchstäblich ans Kreuz der ästhetischen Produktivität geschlagen haben. Losgelöst von der selbstlosen, sich selbst verzehrenden Arbeit der Avantgarden gerät eine gleichsam vergesellschaftete Lebensform dieser Art in Gefahr, zum bloßen Spiegelbild der durch kognitiv-instrumentelle Vereinseitigungen charakterisierten entfremdeten Alltagspraxis zu werden. Das sage ich, obwohl ich mit den subversiven, spielerischen und libertären Zügen der neuen Subkulturen weiß Gott sympathisiere.

4. Die Idee der Universität – Lernprozesse

Zur 600-Jahr-Feier der Universität Heidelberg hat das Städtische Theater im Sommer 1986 eine Vorlesungsreihe veranstaltet. In diesem Rahmen – und an dem Ort, wo ich meine Lehrtätigkeit unter den Augen von Gadamer und Löwith einmal begonnen habe – fand die folgende Vorlesung statt.

Die Idee der Universität – Lernprozesse

I

Im ersten Heft des ersten Jahrgangs der damals von Karl Jaspers und Alfred Weber, Dolf Sternberger und Alexander Mitscherlich gegründeten Zeitschrift *Die Wandlung* kann man die Rede nachlesen, die der aus der inneren Emigration auf seinen Lehrstuhl zurückkehrende Philosoph im Jahre 1945 zur Wiedereröffnung der Universität Heidelberg gehalten hat: Karl Jaspers, *Die Erneuerung der Universität*. Mit der Emphase des neuen Anfangs, den die zeitgeschichtliche Situation in Aussicht stellte, griff Jaspers damals den zentralen Gedanken aus seiner Schrift über die *Idee der Universität* auf, die zuerst 1923 erschienen war und 1946 neu aufgelegt wurde. Fünfzehn Jahre später, 1961, erscheint das Buch in neuer Bearbeitung. Jaspers sah sich inzwischen in seinen Erwartungen enttäuscht. Ungeduldig, geradezu beschwörend heißt es jetzt im Vorwort zur Neufassung: »Entweder gelingt die Erhaltung der deutschen Universität durch Wiedergeburt der Idee im Entschluß zur Verwirklichung einer neuen Organisationsgestalt, oder sie findet ihr Ende im Funktionalismus riesiger Schul- und Ausbildungsanstalten für wissenschaftlich-technische Fachkräfte. Deshalb gilt es, aus dem Anspruch der Idee die Möglichkeit einer Erneuerung der Universität ... zu entwerfen.«[1]

Immer noch geht Jaspers unbefangen von Prämissen aus, die sich der impliziten Soziologie des Deutschen Idealismus verdanken. Ihr zufolge sind institutionelle Ordnungen Gestalten des objektiven Geistes. Eine Institution bleibt nur solange funktionsfähig, wie sie die ihr innewohnende Idee lebendig verkörpert. Sobald der Geist aus ihr entweicht, erstarrt eine Institution in ähnlicher Weise zu etwas bloß Mechanischem, wie sich der seelenlose Organismus in tote Materie auflöst.

Auch die Universität bildet kein Ganzes mehr, sobald das einigende Band ihres korporativen Bewußtseins zerfällt. Die Funktionen, die die Universität für die Gesellschaft erfüllt, müssen gleichsam von innen mit den Zielsetzungen, Motiven und Handlungen ihrer arbeitsteilig kooperierenden Mitglieder (über ein Geflecht von Intentionen) vereinigt bleiben. In diesem Sinne soll die Universität eine von ihren Angehörigen intersubjektiv geteilte, sogar eine exemplarische Lebensform institutionell verkörpern und zugleich motivational verankern. Was seit Humboldt »die Idee der Universität« heißt, ist das Projekt der Verkörperung einer idealen Lebensform. Diese Idee soll sich vor anderen Gründungsideen noch dadurch auszeichnen, daß sie nicht nur auf eine der vielen partikularen Lebensformen der frühbürgerlichen, berufsständisch stratifizierten Gesellschaft verweist, sondern – dank ihrer Verschwisterung mit Wissenschaft und Wahrheit – auf ein Allgemeines, dem Pluralismus gesellschaftlicher Lebensformen Vorgängiges. Die Idee der Universität verweist auf die Bildungsgesetze, nach denen sich *alle* Gestalten des objektiven Geistes formieren.

Selbst wenn wir von diesem überschwenglichen Anspruch aufs Exemplarische absehen, ist nicht schon die Prämisse, daß ein unübersichtliches Gebilde wie das moderne Hochschulsystem von der gemeinsamen Denkungsart ihrer Mitglieder durchdrungen und getragen werden müsse, unrealistisch? »Nur wer die Idee der Universität in sich trägt, kann für die Universität sachentsprechend denken und wirken.«[2] Hätte Jaspers nicht schon von Max Weber gelernt haben können, daß die organisationsförmige Realität, in der sich die funktional spezifizierten Teilsysteme einer hochdifferenzierten Gesellschaft sedimentieren, auf ganz anderen Prämissen beruht? Die Funktionsfähigkeit solcher Betriebe und Anstalten hängt gerade davon ab, daß die Motive der Mitglieder von den Organisationszielen und -funktionen entkoppelt sind. Organisationen verkörpern keine Ideen mehr. Wer sie auf Ideen verpflichten wollte, müßte ihren operativen Spielraum auf den vergleichsweise engen Horizont der von den Mitgliedern intersubjektiv geteilten Lebenswelt beschränken. Einer der vielen huldigenden Artikel, mit denen die *FAZ* die Universität Heidelberg zu ihrem 600. Geburtstag verwöhnt, kommt denn auch zu dem ernüchternden Schluß: »Das Bekenntnis zu Humboldt ist die Lebenslüge unserer Universitäten. Sie haben keine Idee.«[3] Aus dieser Sicht gehören alle jene Universitätsreformer, die sich wie Jaspers auf die Idee der Universität berufen haben und mit schwächer werdender Stimme noch berufen, zu den bloß defensiven Geistern einer modernisierungsfeindlichen Kulturkritik.

Nun war Jaspers von den idealistischen Zügen eines soziologiefremden, bildungselitären, bürgerlichen Kulturpessimismus, d. h.

von der Hintergrundideologie der deutschen Mandarine, gewiß nicht frei; aber er war nicht der einzige, nicht einmal der einflußreichste unter denen, die in den sechziger Jahren eine überfällige Universitätsreform mit Rückgriff auf die Ideen der preußischen Universitätsreformer eingeklagt haben. Im Jahre 1963, zwei Jahre nach der Neufassung der Jasperschen Schrift, hat sich Helmut Schelsky mit seinem schon im Titel unverkennbaren Buch *Einsamkeit und Freiheit* zu Wort gemeldet. Und wiederum zwei Jahre später erschien die Ausarbeitung einer (zunächst 1961 vorgestellten) Denkschrift des SDS unter dem Titel *Hochschule in der Demokratie*. Drei Reformschriften aus drei Generationen und drei verschiedenen Perspektiven. Sie markieren einen jeweils größer gewordenen Abstand von Humboldt – und eine wachsende sozialwissenschaftliche Ernüchterung über die Idee der Universität. Trotz des Generationenabstandes und des eingetretenen Mentalitätswandels ließ sich freilich keine dieser drei Parteien ganz davon abbringen, daß es um eine kritische Erneuerung eben jener Idee gehe: »Reform der Universität«, meinte Schelsky, »ist heute eine Neuschöpfung und Umgestaltung ihrer normativen Leitbilder, also die zeitgemäße Wiederholung der Aufgabe, die Humboldt und seine Zeitgenossen für die Universität vollbracht haben.«[4] Und das Vorwort, mit dem ich seinerzeit die SDS-Denkschrift empfohlen habe, schließt mit dem Satz: »Die Lektüre mag für die, die eine große Tradition *ungebrochen* fortzusetzen meinen, provozierend sein. Aber nur darum ist diese Kritik so unerbittlich, weil sie ihre Maßstäbe dem besseren Geist der Universität selber entlehnt. Die Verfasser« – damals Berliner Studenten, heute wohlbestallte und bekannte Professoren wie Claus Offe und Ullrich Preuß – »identifizieren sich mit dem, was die deutsche Universität einmal zu sein beanspruchte.«[5]

Zwanzig Jahre und eine halbherzig durchgeführte, teils wieder zurückgenommene Organisationsreform der Hochschule trennen uns heute von diesen Versuchen, der Universität im Lichte ihrer erneuerten Idee eine neue Gestalt zu geben. Nachdem die Dunstschwaden der Polemik über die inzwischen eingerichtete Gruppenuniversität abgezogen sind, streifen resignierte Blicke über eine polarisierte Hochschullandschaft. Was können wir aus diesen zwanzig Jahren lernen? Es sieht so aus, als behielten jene Realisten recht, die, wie Jaspers anmerkt, schon nach dem Ersten Weltkrieg erklärt hatten: »Die Idee der Universität ist tot! Lassen wir die Illusionen fallen! Jagen wir nicht Fiktionen nach!«[6] Oder hatten wir nur die Rolle, die eine solche Idee für das Selbstverständnis universitär organisierter Lernprozesse nach wie vor spielen könnte, nicht richtig verstanden? *Mußte* die Universität auf ihrem Wege zur funktionalen Spezifizierung innerhalb eines beschleunigt ausdifferenzierten Wissenschaftssystems das, was man einmal ihre Idee genannt hat, als leere Hülse abstreifen? Oder ist die universitäre Form organisierter wissenschaftlicher Lernprozesse auch heute noch auf eine *Bündelung* von Funktionen angewiesen, die nicht gerade ein normatives Leitbild erfordert, aber doch eine gewisse Gemeinsamkeit in den Selbstdeutungen der Universitätsangehörigen – Reste eines korporativen Bewußtseins?

II

Vielleicht genügt schon ein Blick auf die *äußere* Entwicklung der Hochschulen, um diese Fragen zu beantworten. Die Bildungsexpansion nach dem Zweiten Weltkrieg ist ein weltweites Phänomen, das T. Parsons veranlaßt hat, von einer »Erziehungsrevolution« zu sprechen. Im Deutschen Reich war die Zahl der Studierenden zwischen 1933 und 1939 von 121 000 auf 56 000 Studenten halbiert worden. 1945 bestanden auf dem Gebiet der späteren Bundesrepublik nur noch 15 Hochschulen. Mitte der fünfziger Jahre versorgten 50 wissenschaftliche Hochschulen schon wieder etwa 150 000 Studenten. Anfang der sechziger Jahre wurden dann die Weichen für einen gezielten Ausbau des tertiären Sektors gestellt. Seitdem hat sich die Studentenzahl noch einmal vervierfacht. Heute werden über eine Million Studenten an 94 wissenschaftlichen Hochschulen ausgebildet.[7] Diese absoluten Zahlen gewinnen freilich einen informativen Gehalt erst im internationalen Vergleich.

In fast allen westlichen Industriegesellschaften beginnt nach 1945 der Trend zur Erweiterung der formalen Bildung und setzt sich verstärkt bis Ende der siebziger Jahre fort; in den entwickelten sozialistischen Gesellschaften konzentriert sich der gleiche Erweiterungsschub in den fünfziger Jahren. In allen Industrieländern nahm die von der UNESCO für den Zeitraum von 1950 bis 1980 brutto berechnete Sekundarschulrate von 30 auf 80, die entsprechende Hochschulrate von knapp 4 auf 30 zu. Die Parallelen in der Bildungsexpansion verschiedener Industriegesellschaften zeigen sich noch deutlicher, wenn man, wie im angekündigten zweiten Bildungsbericht des Max-Planck-Instituts für Bildungsforschung, die Selektivität des Bildungssystems in der Bundesrepublik mit dem in den USA, Großbritannien, Frankreich und der DDR vergleicht. Obwohl die nationalen Bildungssysteme ganz verschieden aufgebaut sind, und trotz der Unterschiede im politischen und gesellschaftlichen System, ergeben sich für die höchsten Qualifikationsstufen dieselben Größenordnungen. Wenn man die Bildungselite an höheren akademischen Graden (in der Regel an der Promotion) mißt, liegt ihr Anteil zwischen 1,5% und 2,6% eines Jahrgangs; mißt man sie am Abschluß der wichtigsten Formen des akademischen Langzeitstudiums (an Diplom, Magister und Staatsexamen), liegt der Anteil zwischen 8% und 10% eines Jahrgangs. Die Autoren des zweiten Bildungsberichts vertiefen diesen Vergleich bis in Bereiche der qualitativen Differenzierung und stellen beispielsweise fest, daß sich das Publikationsverhalten und die nach äußeren Indikatoren eingeschätzte wissenschaftliche Produktivität in den einzelnen Fächern international auf verblüffende Weise ähneln – ganz unabhängig davon, ob die nationalen Hochschulsysteme eher offen strukturiert oder stärker auf Auswahl und Elitenbildung zugeschnitten sind.[8]

Die deutschen Universitäten haben sich zudem, bei aller steifnackigen Resistenz gegen die staatlich verordnete Reform, nicht nur in den quantitativen Dimensionen verändert. Die markantesten Züge einer spezifisch deutschen Erbschaft sind abgeschliffen worden. Mit der Ordinarienuniversität sind überholte Hierarchien abgebaut worden; mit einer gewissen Statusnivellierung verlor auch die Mandarinenideologie ihre Grundlage. Auslagerungen und interne Differenzierungen haben Lehre und Forschung stärker auseinandertreten lassen. Mit einem Wort: auch in ihren inneren Strukturen haben sich in der Bundesrepublik die Massenuniversitäten den Hochschulen anderer Industrieländer angeglichen.

Aus der Entfernung des international vergleichenden bildungssoziologischen Blicks bietet sich also ein Bild, das eine funktionalistische Deutung aufdrängt. Danach bestimmen die Gesetzmäßigkeiten der gesellschaftlichen Modernisierung auch die Hochschulentwicklung, die freilich in der Bundesrepublik, im

Vergleich zur DDR und zum westlichen Ausland, mit einem Jahrzehnt Verspätung eingesetzt hat. In der Phase größter Beschleunigung hat dann die Bildungsexpansion entsprechende Ideologien erzeugt. Der Streit zwischen den Reformern und den Verteidigern eines unhaltbar gewordenen Status quo ist damals von allen Seiten, so scheint es, unter der falschen Prämisse ausgetragen worden, daß es darum gehe, die Idee der Universität sei es zu erneuern oder zu bewahren. In diesen ideologischen Formen hat sich ein Prozeß vollzogen, den keine der beiden Parteien gewollt hat – und den die revoltierenden Studenten seinerzeit als »technokratische Hochschulreform« bekämpft haben. Im Zeichen der Reform scheint sich bei uns nur ein neuer Schub in der Ausdifferenzierung eines Wissenschaftssystems vollzogen zu haben, das sich wie überall funktional verselbständigt hat – und das normativer Integration in den Köpfen von Professoren und Studenten um so weniger bedarf, je mehr es sich über systemische Mechanismen steuert und mit der disziplinären Erzeugung von technisch verwertbaren Informationen und Berufsqualifikationen auf die Umwelten der Ökonomie und der planenden Verwaltung einstellt. Zu diesem Bild passen die pragmatischen Empfehlungen des Wissenschaftsrates, die eine Verlagerung der Gewichte zugunsten systemischer Steuerung, zugunsten disziplinärer Eigenständigkeit, zugunsten einer Differenzierung von Forschung und Lehre fordern.[9]

Freilich läßt die ideenpolitische Enthaltsamkeit des Wissenschaftsrats weitergreifende Interpretationen offen. Die vorsichtigen Empfehlungen implizieren nicht notwendig jene funktionalistische Lesart, die sich mit einem heute verbreiteten neokonservativen Deutungsmuster trifft. Einerseits setzt man aufs funktional ausdifferenzierte Wissenschaftssystem, für das die normativ integrierende Kraft eines im korporativen Selbstverständnis verankerten ideellen Zentrums nur hinderlich wäre; andererseits nimmt man die Jubiläumsdaten gerne zum rhetorischen Anlaß, um über einer systemisch geronnenen Autonomie der Hochschule den Traditionsmantel einer einst ganz anders, nämlich normativ gemeinten Autonomie auszubreiten. Unter diesem Schleier können sich dann die Informationsflüsse zwischen den funktional autonom gewordenen Teilsystemen, zwischen den Hochschulen und dem ökonomisch-militärisch-administrativen Komplex, um so unauffälliger einspielen. Aus dieser Sicht wird das Traditionsbewußtsein nur noch an seinem Kompensationswert gemessen; es ist soviel wert, wie die Löcher groß sind, die es in einer ihrer Idee beraubten Universität zu stopfen vermag. Auch diese neokonservative Deutung könnte freilich, soziologisch betrachtet, der bloße Reflex einer Bildungskonjunktur sein, die ihren Zyklen folgt – ganz unbeirrt von den Politiken, den Themen und den Theorien, denen sie jeweils zum Aufschwung verhilft.

Die aktive Bildungspolitik, die bei uns im Zuge eines überfälligen Modernisierungsschubes Anfang der sechziger Jahre eingesetzt hatte, beruhte bis zum Ende der Großen Koalition auf einem tragfähigen Konsens aller Parteien; während der ersten Regierung Brandt hat die Bundesrepublik dann eine bildungspolitische Hochkonjunktur erlebt – und den Beginn der Polarisierung. Seit 1974 setzte schließlich der Abschwung ein, weil seitdem die Bildungspolitik durch die einsetzende Wirtschaftskrise von beiden Seiten betroffen wurde: auf der Absolventenseite durch erschwerte Arbeitsmarktbedingungen, auf der Kosten- und Finanzierungsseite durch die Krise der öffentlichen Haushalte.[10] Man kann also das, was den Neokonservativen heute als realistische Neuorientierung der Bildungspolitik erscheint, auch als ein weitgehend ökonomisch und politisch zu erklärendes Rezessionsphänomen der Bildungsplanung verstehen.[11] Wenn aber die Bildungskonjunkturen gleichsam durch die Themen und Theorien hindurchgreifen, ist auch die funktionalistische Deutung, die heute dominiert, nicht schlicht *at face value* zu nehmen. Prozesse der Ausdifferenzierung, die sich in den beiden letzten Jahrzehnten beschleunigt haben, *müssen* nicht unter eine systemtheoretische Beschreibung gebracht werden und zu dem Schluß führen, daß die Universitäten den lebensweltlichen Horizonten nun ganz entwachsen sind.

Die traditionelle Bündelung verschiedener Funktionen unter dem Dach einer Institution, auch das Bewußtsein, daß hier der Prozeß der Gewinnung wissenschaftlicher Erkenntnisse nicht nur mit technischer Entwicklung und mit der Vorbereitung auf akademische Berufe, sondern auch mit allgemeiner Bildung, kultureller Überlieferung und Aufklärung in der politischen Öffentlichkeit verflochten ist, könnte ja für die Forschung selbst lebenswichtig sein. Empirisch gesehen, scheint es eine offene Frage zu sein, ob nicht die Antriebe wissenschaftlicher Lernprozesse am

Ende erlahmen müßten, wenn diese ausschließlich auf die Funktion der Forschung spezialisiert wären. Wissenschaftliche Produktivität könnte von universitären Formen der Organisation abhängig sein, nämlich angewiesen auf jenen in sich differenzierten Komplex der Förderung des wissenschaftlichen Nachwuchses, der Vorbereitung auf akademische Berufe sowie der Beteiligung an Prozessen der Allgemeinbildung, der kulturellen Selbstverständigung und der öffentlichen Meinungsbildung.

Noch sind die Hochschulen über diese merkwürdige Bündelung von Funktionen in der Lebenswelt verwurzelt. Allerdings werden die allgemeinen Vorgänge der Sozialisation, der Überlieferung und der sozialintegrativen Willensbildung, über die sich die Lebenswelt reproduziert, *innerhalb* der Universität nur unter den hochartifiziellen Bedingungen der auf Erkenntnisgewinn programmierten wissenschaftlichen Lernprozesse fortgesetzt. Solange dieser Zusammenhang nicht vollends reißt, kann die Idee der Universität immerhin nicht ganz tot sein. Die Komplexität und innere Differenzierung dieses Zusammenhangs dürfen freilich nicht unterschätzt werden. In der Geburtsstunde der klassischen deutschen Universität haben die preußischen Reformer ein Bild von ihr entworfen, das einen übervereinfachten Zusammenhang zwischen wissenschaftlichen Lernprozessen und den Lebensformen moderner Gesellschaften suggeriert. Sie haben der Universität, aus der Sicht einer idealistischen Versöhnungsphilosophie, eine Kraft der Totalisierung zugemutet, die diese Institution von Anbeginn überfordern mußte. Nicht zuletzt diesem Impuls verdankte die Idee der Universität in Deutschland ihre Faszination – bis hinein in die sechziger Jahre unseres Jahrhunderts. Wie sehr sie inzwischen ihre Kraft eingebüßt hat, läßt sich schon am Ort unserer Vortragsreihe ablesen. Daß das Städtische Theater diese dankenswerte Initiative ergreift, läßt ja den Gedanken aufkommen, der Idee der Universität könne nur noch *extra muros* neues Leben eingehaucht werden.

Um die Komplexität des Zusammenhangs von Universität und Lebenswelt deutlich zu machen, möchte ich den Kern der Universitätsidee von den Schalen ihrer Übervereinfachungen lösen. Ich erinnere zunächst an die klassische Idee von Schelling, Humboldt und Schleiermacher, um dann die drei Varianten ihrer Erneuerung durch Jaspers, Schelsky und die SDS-Reformer zu behandeln.

III

Humboldt und Schleiermacher verknüpfen mit der Idee der Universität zwei Gedanken. Erstens geht es ihnen um das Problem, wie die moderne, aus der Vormundschaft von Religion und Kirche entlassene Wissenschaft institutionalisiert werden kann, ohne daß ihre Autonomie von anderer Seite gefährdet wird – sei es durch die Befehle der staatlichen Obrigkeit, die die äußere Existenz der Wissenschaft ermöglicht, oder durch Einflüsse der bürgerlichen Gesellschaft, die an den nützlichen Resultaten der wissenschaftlichen Arbeit interessiert ist. Humboldt und Schleiermacher sehen die Lösung des Problems in einer staatlich organisierten Wissenschaftsautonomie, die die höheren wissenschaftlichen Anstalten gegen politische Eingriffe ebenso wie gegen gesellschaftliche Imperative abschirmt. Zum anderen wollen aber Humboldt und Schleiermacher auch erklären, warum es im Interesse des Staates selber liegt, der Universität die äußere Gestalt einer nach innen unbeschränkten Freiheit zu garantieren. Ein solcher Kulturstaat empfiehlt sich durch die segensreichen Folgen, die die einheitsstiftende, totalisierende Kraft der als Forschung institutionalisierten Wissenschaft haben müsse. Wenn nur die wissenschaftliche Arbeit der inneren Dynamik der Forschungsprozesse überlassen würde, und wenn so das Prinzip erhalten bliebe, »die Wissenschaft als etwas noch nicht ganz Gefundenes und nie ganz Aufzufindendes zu betrachten«[12], dann müßte sich, davon waren beide überzeugt, die moralische Kultur, überhaupt das geistige Leben der Nation in den höheren wissenschaftlichen Anstalten wie in einem Fokus zusammenfassen.[13]

Diese beiden Gedanken verschmelzen zur Idee der Universität und erklären einige der auffälligeren Eigenschaften der deutschen Universitätstradition. Sie machen erstens das affirmative Verhältnis einer sich unpolitisch verstehenden Universitätswissenschaft zum Staat verständlich, zweitens das defensive Verhältnis der Universität zur beruflichen Praxis, insbesondere zu Ausbildungsanforderungen, die das Prinzip der Einheit von Lehre und Forschung gefährden könnten, und drittens die zentrale Stellung der philosophischen Fakultät innerhalb der Hochschule sowie die emphatische Bedeutung, die der Wissenschaft für Kultur und Gesellschaft im ganzen zugeschrieben wird. Das Wort »Wissenschaft« hat ja im Deutschen so reiche Konnotationen angesetzt, daß sich dafür im Englischen oder Französischen keine einfachen Äquivalente finden. Aus der Universitätsidee ergibt sich also einerseits die entwicklungsträchtige, weil auf die funktionale Eigenständigkeit des Wissenschaftssystems verweisende Betonung der Wissenschaftsautonomie, welche freilich nur in »Einsamkeit und Freiheit«, aus der Distanz zur bürgerlichen Gesellschaft und zur politischen Öffentlichkeit, wahrgenommen werden sollte, und andererseits die allgemeine kulturprägende Kraft einer Wissenschaft, in der sich die Totalität der Lebenswelt reflexiv zusammenfassen sollte. Für das defensive Verhältnis zur bürgerlichen Gesellschaft und für die interne Beziehung zur Lebenswelt im ganzen muß freilich die Wissenschaft, die als eine philosophische Grundwissenschaft vor Augen stand, sehr spezielle Bedingungen erfüllen.

Die Reformer konnten sich damals den Wissenschaftsprozeß als einen narzißtisch in sich geschlossenen Kreisprozeß forschenden Lehrens vorstellen, weil die Philosophie des Deutschen Idealismus von sich aus die *Einheit von Lehre und Forschung* erforderte. Während heute eine Diskussion auf dem jeweils neuesten Stand der Forschung und die Darstellung dieses Wissensstandes für Zwecke des Studiums zwei verschiedene Dinge sind, hatte Schelling in seinen *Vorlesungen zur Methode des akademischen Studiums* gezeigt, daß aus der Konstruktion des philosophischen Gedankens selber die Form seiner pädagogischen Vermittlung hervorgeht. Dem »bloß historischen« Vortrag fertiger Resultate setzte er die konstruierende Entfaltung »des Ganzen einer Wissenschaft aus innerer, lebendiger Anschauung entgegen«.[14] Mit einem Wort: dieser Typus von Theorie erforderte einen konstruktiven Aufbau, der mit dem Curriculum ihrer Darstellung zusammenfiel.

Auf die gleiche Weise sollte die Universität ihren inneren Bezug zur Lebenswelt der totalisierenden Kraft der Wissenschaft verdanken können. Der Philosophie trauten die Reformer eine einheitsstiftende Kraft unter drei Aspekten zu – nämlich im Hinblick, wie wir heute sagen würden, auf kulturelle Überlieferung, auf Sozialisation und auf gesellschaftliche Integration. Die philosophische Grundwissenschaft war erstens *enzyklopädisch* angelegt und konnte als solche sowohl die Einheit in der Mannigfaltigkeit der wissenschaftlichen Disziplinen sichern wie auch die Einheit der Wissenschaft mit Kunst und Kritik auf der einen,

Recht und Moral auf der anderen Seite. Die Philosophie empfahl sich als Reflexionsform der Kultur im ganzen. Ihr *platonistischer* Grundzug sollte zweitens die Einheit von Forschungsprozessen und Bildungsprozessen sichern. Indem nämlich Ideen erfaßt werden, bilden sie sich zugleich in den sittlichen Charakter des Erkennenden ein und befreien diesen von aller Einseitigkeit. Die Erhebung zum Absoluten öffnet den Weg zur allseitigen Entfaltung der Individualität. Weil der Umgang mit dieser Art von Wissenschaft vernünftig macht, können »die Pflanzschulen der Wissenschaft zugleich allgemeine Bildungsanstalten« sein.[15] Schließlich versprach die *reflexionsphilosophische Grundlage* aller Theoriebildung die Einheit von Wissenschaft und Aufklärung. Während heute die Philosophie ein Fach geworden ist, das das esoterische Interesse von Fachleuten auf sich zieht, konnte eine Philosophie, die von der Selbstbeziehung des erkennenden Subjekts ausging und alle Erkenntnisinhalte auf dem Wege einer reflexiven Denkbewegung entfaltete, das esoterische Interesse des Fachmanns an der Wissenschaft gleichzeitig mit dem exoterischen Interesse des Laien an Selbstverständigung und Aufklärung befriedigen.[16] Indem die Philosophie, wie Hegel sagen wird, ihre Zeit in Gedanken erfaßt, sollte sie die sozialintegrative Kraft der Religion durch die versöhnende der Vernunft ersetzen. Deshalb konnte Fichte die Universität, die eine solche Wissenschaft bloß institutionalisiert, als Geburtsstätte einer künftigen, emanzipierten Gesellschaft verstehen, sogar als Stätte der nationalen Erziehung. Die in Reflexion einübende Wissenschaft schafft ja Klarheit nicht über uns fremd bleibende Dinge, sondern über die innerste Wurzel unseres Lebens: »Diese Klarheit muß nun jeder wissenschaftliche Körper rund um sich herum, schon um seines eigenen Interesses willen, wollen und aus aller Kraft befördern; er muß daher, so wie er nur in sich selbst einige Konsistenz bekommen hat, unaufhaltsam fortfließen zur Organisation der Erziehung der Nation, als seines eigenen Bodens, zu Klarheit und Geistesfreiheit, und so die Erneuerung aller menschlichen Verhältnisse vorbereiten und möglich machen.«[17]

Das Riskante und Unwahrscheinliche jener Universitätsidee, die uns in den berühmten Gründungsdokumenten entgegentritt, wird erst in ganzem Umfange deutlich, wenn man sich die Bedingungen klarmacht, die für die Institutionalisierung einer solchen Wissenschaft hätten erfüllt sein müssen – einer Wissenschaft also, die allein durch ihre innere Struktur die Einheit von Forschung und Lehre, die Einheit der Wissenschaften, die Einheit von Wissenschaft und allgemeiner Bildung sowie die Einheit von Wissenschaft und Aufklärung zugleich ermöglichen und garantieren sollte.

Die strikt verstandene Einheit von Forschung und Lehre bedeutet, daß nur so gelehrt und gelernt wird, wie es für den innovativen Prozeß des wissenschaftlichen Fortschrittes nötig ist. Die Wissenschaft soll sich auch in dem Sinne selbst reproduzieren können, daß die Professoren ihren eigenen Nachwuchs heranbilden. Der künftige Forscher ist das einzige Ziel, für das die Universität der forschenden Gelehrten Ausbildungsaufgaben übernimmt. Immerhin behielt diese Beschränkung der akademischen Berufsvorbereitung auf die Förderung des wissenschaftlichen Nachwuchses wenigstens für die philosophische Fakultät eine gewisse Plausibilität, solange sich die Professorenschaft aus dem Kreis der von ihnen ausgebildeten Gymnasiallehrer ergänzte.

Weiterhin konnte die Idee der Einheit der Wissenschaften nur geltend gemacht werden, wenn sich die oberen Fakultäten der wissenschaftlichen Führung einer völlig umgewandelten Artistenfakultät unterordneten und wenn die Philosophie, die hier ihren Sitz hatte, tatsächlich zur Grundwissenschaft der vereinigten Natur- und Geisteswissenschaften avancierte. Das ist der Sinn der Polemik gegen die Brotwissenschaften, gegen die Zerstreuung in Spezialschulen, gegen das bloß Abgeleitete jener Fakultäten, »die ihre Einheit nicht in der Erkenntnis unmittelbar, sondern in einem äußeren Geschäfte« finden. Als zwingende, aber von Anbeginn kontrafaktisch erhobene Konsequenz ergab sich die Forderung nach der Herrschaft der philosophischen Fakultät, »weil alle Mitglieder der Universität, zu welcher Fakultät sie auch gehören, in ihr müssen eingewurzelt sein«.[18]

Die Einheit von Wissenschaft und allgemeiner Bildung hatte institutionell die Einheit der Lehrenden und Lernenden zur Voraussetzung: »Das Verhältnis von Lehrer und Schüler wird durchaus ein anderes als vorher. Der erstere ist nicht für die letzteren, beide sind für die Wissenschaft da.«[19] Dieses auf Kooperation angelegte, grundsätzlich egalitäre Ergänzungsverhältnis sollte in den diskursiven Formen des Seminarbetriebs verwirklicht werden. Es war unvereinbar mit der Personalstruktur, die sich schon bald in den hierarchisch gegliederten Instituten einer am Vorbild der experimentellen Naturwissenschaften orientierten Forschung herausbildete.

Überschwenglich war schließlich die Idee der Einheit von Wissenschaft und Aufklärung, soweit sie die Autonomie der Wissenschaften mit der Erwartung befrachtete, daß die Universität innerhalb ihrer Mauern wie in einem Mikrokosmos eine Gesellschaft von Freien und Gleichen antizipieren könne. Die philosophische Wissenschaft schien derart die allgemeinen Kompetenzen der Gattung in sich zusammenzufassen, daß die höheren wissenschaftlichen Anstalten für Humboldt nicht nur als Spitze des gesamten Bildungssystems galten, sondern als »Gipfel der moralischen Kultur der Nation«. Freilich blieb von Anfang an unklar, wie der aufklärerisch-emanzipatorische Auftrag mit der politischen Enthaltsamkeit zusammengehen sollte, die doch die Universität als Preis für die staatliche Organisation ihrer Freiheit entrichten mußte.

Diese institutionellen Voraussetzungen für eine Implementierung der Gründungsidee der deutschen Universität waren entweder von Anfang an nicht gegeben oder konnten im Laufe des 19. Jahrhunderts immer weniger erfüllt werden. Ein differenziertes Beschäftigungssystem erforderte erstens die wissenschaftliche Vorbereitung auf immer mehr akademische Berufe. Die Technischen Hochschulen, Handelshochschulen, Pädagogische Hochschulen, Kunsthochschulen konnten nicht auf Dauer neben den Universitäten bestehen bleiben. Sodann folgten die aus dem Schoß der philosophischen Fakultät entspringenden Erfahrungswissenschaften einem methodischen Ideal der Verfahrensrationalität, das jeden Versuch der enzyklopädischen Einbettung ihrer Inhalte in eine philosophische Gesamtdeutung zum Scheitern verurteilte.[20] Diese Emanzipation der Erfahrungswissenschaften besiegelte den Zerfall einheitlich-metaphysischer Weltdeutungen. Inmitten eines Pluralismus von Glaubensmächten verlor die Philosophie auch ihr Monopol für die Deutung der Kultur im ganzen. Drittens avancierte die Wissenschaft zu einer wichtigen Produktivkraft der industriellen Gesellschaft. Mit dem Blick auf Liebigs Institut in Gießen betonte beispielsweise die badische Staatsregierung schon 1850 die »außerordentliche Bedeutung der Chemie für die Landwirtschaft«.[21] Die Naturwissenschaften büßten ihre Weltbildfunktion zugunsten der Erzeugung technisch verwertbaren Wissens ein. Die Arbeitsbedingungen der institutsförmig organisierten Forschung waren weniger auf Funktionen allgemeiner Bildung als auf die funktionalen Imperative von Wirtschaft und Verwaltung zugeschnitten. Schließlich diente die akademische Bildung in Deutschland der sozialen Abgrenzung einer am Modell des höheren Beamten orientierten bildungsbürgerlichen Schicht.[22] Mit dieser Befestigung der berufsständischen Differenzierung zwischen Volksbildung und akademischer Bildung wurden aber Klassenstrukturen bestätigt, die den universalistischen Gehalt der Universitätsidee und das Versprechen, das diese für die Emanzipation der Gesellschaft im ganzen verheißen hatte, nachhaltig dementierten.[23]

Je stärker diese gegenläufigen Entwicklungen zu Bewußtsein kamen, um so mehr mußte die Idee der Universität gegen die Tatsachen behauptet werden – sie verkam zur Ideologie eines Berufsstandes mit hohem sozialen Prestige. Für die Geistes- und Sozialwissenschaften datiert Fritz K. Ringer den Verfall der Kultur der deutschen Mandarine auf die Periode von 1890 bis 1933.[24] In der machtgeschützten Innerlichkeit dieser Mandarine hat sich das neuhumanistische Bildungsideal zu dem geistesaristokratischen, unpolitischen, obrigkeitskonformen Selbstverständnis einer praxisfernen, nach innen autonomen, forschungsintensiven Bildungsanstalt verformt.[25] Man muß freilich auch die positive Seite sehen. Die Idee der Universität hat in beiderlei Gestalt – sowohl als Idee wie als Ideologie – zu dem Glanz und dem international unvergleichlichen Erfolg der deutschen Universitätswissenschaft im 19. Jahrhundert, sogar bis in die dreißiger Jahre unseres Jahrhunderts hinein, beigetragen. Sie hat nämlich mit der staatlich organisierten Wissenschaftsautonomie die Ausdifferenzierung der wissenschaftlichen Disziplinen der freigesetzten inneren Dynamik der Forschungsprozesse selbst überantwortet. Unter dem Schirm eines nur äußerlich rezipierten Bildungshumanismus haben die Naturwissenschaften alsbald ihre Autonomie gewonnen und sind mit ihrer institutsförmig organisierten Forschungsarbeit auch für die zunächst seminaristisch betriebenen Geistes- und Sozialwissenschaften zu einem bei allem Positivismus fruchtbaren Vorbild geworden.[26] Gleichzeitig hat die Ideologie der deutschen Mandarine der Hochschule ein starkes korporatives Selbstbewußtsein, Förderung von seiten des Kulturstaates und eine gesamtgesellschaftlich anerkannte Position verschafft. Und nicht zuletzt hat der utopische Überschuß, der der Universitätsidee innewohnt, auch ein kritisches Potential bewahrt, das mit den zugleich universalistischen und individualistischen Grundüberzeugungen des okzidentalen Rationalismus in Einklang stand und von Zeit zu Zeit für eine Erneuerung der Institution wiederbelebt werden konnte.

IV

Das jedenfalls glaubten die Reformer Anfang der sechziger Jahre. Nach 1945 hatte der erste Impuls zur Erneuerung nicht ausgereicht. Neben der materiellen Erschöpfung bestand eine Erschöpfung des korporativen Bewußtseins. Die Universitätsidee hatte in der Traditionsgestalt des Mandarinenbewußtseins auch die Nazis überlebt; aber durch erwiesene Ohnmacht gegen oder gar Komplizenschaft mit dem Nazi-Regime war sie vor aller Augen ihrer Substanzlosigkeit überführt worden. Immerhin blieben nach 1945 die Traditionalisten der Humboldtschen Idee auch in der Defensive stark genug, um wohlgemeinte Reformversuche hinzuhalten und sich mit den Pragmatikern des Ende der fünfziger Jahre gegründeten Wissenschaftsrats zu arrangieren. Das unvermeidlich gewordene quantitative Wachstum der Universitäten vollzog sich dann als ein Ausbau in unveränderten Strukturen. Thomas Ellwein faßt rückblickend die Nicht-Entscheidung in der Formel zusammen: Ausbau statt Neubau, Beibehaltung des hierarchischen Aufbaus der Universität im Inneren und des tertiären Bildungsbereichs im ganzen – mit den Universitäten an der Spitze.[27]

In dieser Situation greift Jaspers wiederum auf Humboldt zurück; Schelsky und die Studenten des SDS versuchen eine kritische Aneignung desselben Erbes aus einer gewissen sozialwissenschaftlichen Distanz, indem sie ihren Reformvorschlägen eine nüchterne Diagnose des inzwischen eingetretenen Strukturwandels der Universität voranschicken. Unter dem Stichwort der Vergesellschaftung der Universität bei gleichzeitiger Verwissenschaftlichung der Berufspraxis untersuchen sie die Ausdifferenzierung der Fächer, die Institutionalisierung der Forschung, die Verschulung der akademischen Ausbildung, den Verlust der bildenden und aufklärenden Funktionen der Wissenschaft, die veränderte Personalstruktur usw. Im Hintergrund stehen schon die internationalen Vergleiche der Bildungssoziologen, die Bedarfsanalysen der Bildungsökonomen, die bürgerrechtlichen Postulate der Bildungspolitiker. Alles das faßt Schelsky unter dem Titel »Sachgesetzlichkeiten« zusammen. Denn diese Prozesse haben einen systemischen Charakter und erzeugen Strukturen, die sich von der Lebenswelt ablösen; sie höhlen das korporative Bewußtsein der Universität aus, sie zersprengen jene Einheitsfiktionen, die Humboldt, Schleiermacher und Schelling einst mit der totalisierenden Kraft der wissenschaftlichen Reflexion begründen wollten. Interessanterweise entscheidet sich Schelsky aber ebensowenig wie die linken Reformer für eine bloße Anpassung der Universitäten an die Sachgesetzlichkeiten; er setzt nicht auf die Art von technokratischer Dauerreform, die sich inzwischen tatsächlich eingespielt hatte. Diese Option hätte seine damals entwickelte Technokratietheorie sogar erwarten lassen. Statt dessen schöpft Schelsky aus dem Fundus der Humboldtschen Ideen, um dazu aufzurufen, die Sachgesetzlichkeiten »zu gestalten«: »Das Entscheidende ist nun, daß diese sachgesetzlichen Entwicklungstendenzen einseitig sind..., daß dazu eine Rückbindung und gestaltende Gegenkräfte ins Spiel treten müssen, die nicht selbstverständlich sind und nur in schöpferischer Anstrengung vollzogen werden können.«[28] Das ausdifferenzierte Wissenschaftssystem soll eben nicht nur mit Wirtschaft, Technik und Verwaltung zusammenwachsen, sondern über die traditionelle Bündelung ihrer Funktionen in der Lebenswelt verwurzelt *bleiben*. Und wiederum soll diese Funktionsbündelung aus der Struktur der Wissenschaft selbst erklärt werden.

Die theoretisch anspruchsvollen Reforminitiativen der frühen sechziger Jahre gehen also noch einmal von der Konzeption einer Wissenschaft aus, der man doch noch eine irgendwie einheitsstiftende Kraft zutrauen darf; und wiederum wird die Universität nur als deren äußere, organisatorische Gestalt begriffen. Natürlich hatte sich die Stellung der Philosophie zu den Wissenschaften inzwischen so verändert, daß nicht länger sie selbst das Zentrum der ausdifferenzierten Fachwissenschaften bildete. Aber wer sollte den vakanten Platz einnehmen? War es überhaupt nötig, an der Idee der Einheit der Wissenschaften festzuhalten? Die totalisierende Kraft des Wissenschaftsprozesses konnte gewiß nicht mehr als Synthese gedacht und durch einen metaphysischen

Gegenstandsbezug zum Absoluten oder zur Welt im ganzen gesichert werden. Eine Theorie, die den Zugriff aufs Ganze – sei es direkt oder im Durchgang durch die Fachwissenschaften – riskiert hätte, stand nicht mehr zur Diskussion.

Eine vergleichsweise konventionelle Antwort gibt Jaspers. Er gesteht zu, daß die Rationalität der zieloffenen, allein methodisch bestimmten Erfahrungswissenschaften rein prozedural ist und eine inhaltliche Einheit im unvorhersehbar sich ausdifferenzierenden Fächerkanon nicht mehr begründen kann; aber der in die Peripherie zunächst abgedrängten, auf die Aufgaben der Existenzerhellung und der Analyse eines nicht objektivierbaren Umgreifenden zurückgenommenen Philosophie will Jaspers dann doch eine Sonderrolle gegenüber den freigelassenen Disziplinen vorbehalten. Die Wissenschaften sollen sogar der Führung durch die Philosophie bedürfen, weil nur diese das Motiv des unbedingten Wissenwollens und den Habitus der wissenschaftlichen Denkungsart durch Reflexion auf die Voraussetzung und durch Vergewisserung der leitenden Ideen der Forschung sichern könne. So behält die Philosophie mindestens die Rolle einer Hüterin der Idee der Universität – und damit eine Berufung zum Schrittmacher von Reformen.

Weniger idealistisch sind Schelskys Überlegungen, der die Philosophie durch eine Theorie der Wissenschaften ersetzt. Er geht von einer Dreiteilung des Fächerkanons in Natur-, Sozial- und Geisteswissenschaften aus. Die Fächer entfalten sich autonom; die drei Fachgruppen sind aber mit ihren spezifischen Wissensformen auf je andere Weise mit der modernen Gesellschaft funktional verzahnt. Sie können nicht mehr insgesamt durch philosophische Reflexion umgriffen werden; die Philosophie wandert vielmehr in die Wissenschaften ab und nistet sich in ihnen ein als eine Selbstreflexion der jeweiligen Disziplin. Für die fiktiv gewordenen Einheiten der Humboldtschen Universität entsteht so ein Äquivalent: »Indem die Philosophie *aus* den Fachwissenschaften *hervorgeht* und, diese zu ihrem Gegenstand machend, kritisch transzendiert, gewinnt sie indirekt wieder das Ganze der wissenschaftlichen Zivilisation als ihren Gegenstand. Indem sie die Grenzen und Bedingungen der Einzelwissenschaften erforscht, hält sie diese offen... gegenüber der Verengung ihrer *Weltbezüge*.«[29]

Ich selbst habe mich in der gleichen Zeit zum Anwalt einer

materialen Wissenschaftskritik gemacht, welche die Verschränkung von methodischen Grundlagen, globalen Hintergrundannahmen und objektiven Verwertungszusammenhängen aufklären sollte.[30] Ich hatte die gleiche Hoffnung wie Schelsky, daß in dieser Dimension der wissenschaftskritischen Selbstreflexion die lebensweltlichen Bezüge der Forschungsprozesse aus diesen selbst heraus transparent gemacht werden könnten, und zwar nicht nur die Bezüge zu den Verwertungsprozessen wissenschaftlicher Informationen, sondern vor allem die Bezüge zur Kultur im ganzen, zu allgemeinen Sozialisationsvorgängen, zur Fortbildung von Traditionen, zur Aufklärung der politischen Öffentlichkeit.

Noch ein anderes Element des Humboldtschen Erbes lebte mit diesen Reforminitiativen wieder auf. Ich meine die exemplarische Bedeutung, die der Wissenschaftsautonomie über die grundrechtliche Garantie der Freiheit von Lehre und Forschung hinaus zugewiesen wurde. Jaspers verstand unter Wissenschaftsautonomie die Verwirklichung eines international verzweigten Kommunikationsnetzes, das den freien gegen den totalen Staat schützen würde.[31] Schelsky verlieh dem eine personalistisch-existentielle Wendung: Wissenschaftsautonomie bedeutete die in pflichtgemäßer Einsamkeit eingeübte Distanzierung von und die sittliche Souveränität gegenüber Handlungszwängen wie systemischen Verdinglichungen, die aus den gestaltungsbedürftigen Sachgesetzlichkeiten der modernen Gesellschaft resultierten.[32] Und für die Autoren der SDS-Hochschuldenkschrift, für die linken Reformer überhaupt, verband sich mit dem, was wir damals als Demokratisierung der Hochschule verteidigt haben[33], zwar nicht die Übertragung von Modellen der staatlichen Willensbildung auf die Universität, nicht die Bildung eines Staates im Staat, aber doch die Erwartung einer durchaus exemplarisch gemeinten politischen Handlungsfähigkeit in Form einer partizipatorischen Selbstverwaltung.

Es ist hier nicht der Ort, um die Organisationsreformen, die dann tatsächlich durchgeführt worden sind, im ganzen zu würdigen; ich stelle nur fest, daß jene Zielvorstellungen, die sich einer kritischen Aneignung der Universitätsidee verdankten, nicht realisiert worden sind. Ebensowenig kann ich auf einzelne Gründe eingehen, die sich retrospektiv anbieten, wenn man das Scheitern dieses Teils der Reforminitiativen erklären möchte. In einem

Nachtrag zu seinem Buch erklärt Schelsky 1970 das Scheitern der Reformen damit, daß sich das Wissenschaftssystem unter dem Zwang zur Komplexitätssteigerung hochgradig ausdifferenziert hat und daher in seinen verschiedenen Funktionen »nicht mehr von einem gemeinsamen Leitbild her zusammengehalten werden könne«.[34] Der verräterische Ausdruck »Leitbild« verweist auf Prämissen, die vielleicht wirklich zu naiv waren, um mit der Differenzierungsdynamik der Forschung selbst Schritt zu halten. Unrealistisch war offenbar die Annahme, daß sich dem disziplinär organisierten Forschungsbetrieb eine Reflexionsform einpflanzen ließe, die nicht aus der Logik der Forschung selbst hervorgetrieben wird. Die Geschichte der modernen Erfahrungswissenschaften lehrt, daß *normal science* durch Routinen gekennzeichnet ist und durch einen Objektivismus, der den Forschungsalltag gegen Problematisierungen abschirmt. Reflexionsschübe werden durch Krisen ausgelöst, aber auch dann vollzieht sich die Verdrängung degenerierender durch neue Paradigmen eher naturwüchsig. Wo hingegen Grundlagenreflexion und Wissenschaftskritik auf Dauer gestellt werden, etablieren sie sich – wie die Philosophie selbst – als Fach neben Fächern. Nicht weniger unrealistisch war die Erwartung, daß die kollegiale Selbstverwaltung der Hochschulen allein durch eine funktional gegliederte Partizipation der beteiligten Gruppen mit politischem Leben erfüllt und politische Handlungsfähigkeit erlangen würde – erst recht, wenn die Reform gegen den Willen der Professoren auf dem Verwaltungswege erzwungen werden mußte.

Wenn aber der innere Zusammenhang der Universität nicht einmal mehr unter diesen Prämissen zu retten ist, müssen wir uns dann nicht doch eingestehen, daß diese Institution auch ganz gut ohne jene liebgewordene Idee auskommt, die sie einmal von sich selbst gehabt hat?

V

Die sozialwissenschaftliche Systemtheorie trifft mit der Wahl ihrer Grundbegriffe eine Vorentscheidung: sie unterstellt, daß *alle* sozialen Handlungsbereiche unterhalb der Ebene normativer Orientierungen durch wertneutrale Steuerungsmechanismen wie Geld oder administrative Macht zusammengehalten werden. Für die Systemtheorie gehört die integrative Kraft von Ideen und Institutionen a priori zum mehr oder weniger funktionalen Überbau eines Substrats von Handlungs- und Kommunikationsflüssen, die systemisch aufeinander abgestimmt sind und dazu keiner Normen bedürfen. Diese rein methodische Vorentscheidung halte ich für voreilig. Normen und Wertorientierungen sind *stets* eingebettet in den Kontext einer Lebenswelt; diese mag noch so differenziert sein, sie bleibt die Totalität im Hintergrund und holt deshalb alle Differenzierungsprozesse auch wieder ein in den Sog ihrer Totalisierung. Die Funktionen der Lebenswelt – kulturelle Reproduktion, Sozialisation und soziale Integration – mögen sich in speziellen Handlungsbereichen ausdifferenzieren, letztlich *bleiben* sie gebannt in den Horizont der Lebenswelt, auch miteinander verschränkt. Eben diesen Umstand wenden die Systemtheoretiker zu ihren Gunsten: ein theoretischer Ansatz, der die integrative Kraft von Ideen und Institutionen noch ernst nimmt – beispielsweise die Idee der Universität –, bleibe hinter der gesellschaftlichen Komplexität zurück. Denn in modernen Gesellschaften bildeten sich autonome, keineswegs miteinander verschränkte Subsysteme heraus, die auf genau eine Funktion, auf nur eine Art von Leistungen spezialisiert seien.

Diese Behauptung zieht ihre Evidenz aus dem Anblick einer über Geld gesteuerten Wirtschaft oder einer über Machtbeziehungen regulierten staatlichen Verwaltung. Problematisch ist dabei die *Verallgemeinerung* dieser Beobachtung auf *alle* Handlungssysteme – erst daraus bezieht die Systemtheorie ihre Pointe. Sie suggeriert, daß jeder Handlungsbereich, wenn er nur *au courant* bleiben will mit der gesellschaftlichen Modernisierung, diese Gestalt funktional spezifizierter, über Steuerungsmedien ausdifferenzierter, voneinander entkoppelter Teilsysteme annehmen müsse. Sie fragt gar nicht erst, ob das für alle Handlungsbereiche gelten kann, beispielsweise für kulturelle Handlungssysteme wie den Wissenschaftsbetrieb, dessen Kernsektor bisher immer noch in einem *funktionsbündelnden* Institutionensystem untergebracht ist – in wissenschaftlichen Hochschulen, die keineswegs in gleicher Weise wie kapitalistische Unternehmungen oder internationale Behörden dem Horizont der Lebenswelt entwachsen sind. Es muß sich erst noch zeigen, ob sich die aus der Universität ausgelagerte Groß- und Grundlagenforschung vom generativen Prozeß der in den Hochschulen organisierten

Wissenschaft ganz wird lösen können – ob sie ganz auf eigenen Beinen wird stehen können oder doch parasitär bleibt. Daß eine von universitären Formen, also auch von der Forschung abgeschnittene wissenschaftliche Fachausbildung Schaden nehmen müßte, ist mindestens eine plausible Vermutung. Gegen die systemtheoretische Überverallgemeinerung spricht vorerst die Erfahrung, die Schelsky so formuliert: »Das Einmalige in der institutionengeschichtlichen Entwicklung der modernen Universität besteht darin, daß sich in diesem Falle die Funktionsdifferenzierung *innerhalb* der gleichen Institution vollzieht und kaum ein Funktionsverlust durch Abgabe von Aufgaben an andere Organisationen eintritt. Man kann im Gegenteil eher von einer Funktionsbereicherung, mindestens von einem Bedeutungsgewinn und einer Verbreiterung der Funktionsbereiche der Universität in ihrer Entwicklung während des letzten Jahrhunderts sprechen.«[35]

So geht denn auch Talcott Parsons in seinem für die Hochschulsoziologie bis heute maßgebenden Buch über die Amerikanische Universität[36] unbefangen davon aus, daß das Hochschulsystem *vier* Funktionen *gleichzeitig* erfüllt: Die Kernfunktion (a) der Forschung und der Förderung des wissenschaftlichen Nachwuchses geht Hand in Hand mit (b) der akademischen Berufsvorbereitung (und der Erzeugung technisch verwertbaren Wissens) auf der einen Seite, mit (c) Aufgaben der allgemeinen Bildung und (d) Beiträgen zu kultureller Selbstverständigung und intellektueller Aufklärung andererseits. Parsons kann sich auf das institutionell stärker differenzierte Hochschulsystem in den USA beziehen und die ersten drei der genannten Funktionen verschiedenen Institutionen – den *graduate schools*, den *professional schools* und den *colleges* – zuordnen. Aber jede dieser Institutionen ist in sich noch einmal so differenziert, daß sie sich jeweils mit verschiedener Gewichtung nach allen Funktionsbereichen hin verzweigt. Nur die vierte Funktion hat keine eigene Trägerinstitution; sie wird über die Intellektuellenrolle der Professoren erfüllt. Wenn man bedenkt, daß Parsons in dieser vierten Funktion beides unterbringt: nicht nur die nach außen gerichteten, an die Öffentlichkeit adressierten Aufklärungsleistungen, sondern auch die Reflexion auf die eigene Rolle der Wissenschaften und auf das Verhältnis der kulturellen Wertsphären Wissenschaft, Moral und Kunst zueinander, erkennt man, daß dieser Funktionenkatalog in verwandelter Gestalt genau das wiedergibt, was die preußischen

Reformer einst als »Einheiten« fingiert hatten: als Einheit von Forschung und Lehre, als Einheit von Wissenschaft und allgemeiner Bildung, als Einheit von Wissenschaft und Aufklärung und als Einheit der Wissenschaften.

Diese letzte Idee hat freilich ihre Bedeutung gravierend verändert; denn die offen ausdifferenzierte Mannigfaltigkeit der wissenschaftlichen Disziplinen stellt nicht mehr als solche das Medium dar, das alle jene Funktionen bündeln kann. Nach wie vor stehen jedoch die universitären Lernprozesse nicht nur im Austausch mit Wirtschaft und Verwaltung, sondern in einem inneren Zusammenhang mit den Reproduktionsfunktionen der Lebenswelt. Hinausgehend über akademische Berufsvorbereitung leisten sie mit der Einübung in die wissenschaftliche Denkungsart, d. h. in eine hypothetische Einstellung gegenüber Tatsachen und Normen, ihren Beitrag zu allgemeinen Sozialisationsvorgängen; hinausgehend über Expertenwissen leisten sie mit fachlich informierten zeitdiagnostischen Deutungen und sachbezogenen politischen Stellungnahmen einen Beitrag zur intellektuellen Aufklärung; hinausgehend über Methoden- und Grundlagenreflexion leisten sie mit den Geisteswissenschaften auch eine hermeneutische Fortbildung von Traditionen, mit Theorien der Wissenschaft, der Moral, der Kunst und Literatur einen Beitrag zur Selbstverständigung der Wissenschaften im Ganzen der Kultur. Es ist die universitäre Form der Organisation wissenschaftlicher Lernprozesse, die auch noch die ausdifferenzierten Fachdisziplinen über die *gleichzeitige* Erfüllung dieser verschiedenen Funktionen in der Lebenswelt verwurzelt.

Die Ausdifferenzierung der Fächer verlangt freilich eine entsprechend starke Differenzierung im Inneren der Universität. Das ist ein Vorgang, der sich immer noch fortsetzt – beispielsweise auf dem vom Wissenschaftsrat empfohlenen Weg der Einrichtung von Graduiertenkollegs. Verschiedene Funktionen werden von verschiedenen Personengruppen an verschiedenen institutionellen Orten mit verschiedener Gewichtung wahrgenommen. Das korporative Bewußtsein verdünnt sich mithin zu dem intersubjektiv geteilten Wissen, daß zwar andere anderes tun als andere, daß aber alle zusammengenommen, indem sie auf diese oder jene Art Wissenschaft treiben, nicht nur eine, sondern ein Bündel von Funktionen erfüllen. Diese bleiben über den arbeitsteilig betriebenen Wissenschaftsprozeß miteinander verschränkt. Daß die Funktionen gebündelt bleiben, läßt sich aber heute kaum noch, wie Schelsky meinte, auf die Bindungskraft des normativen Leitbildes der deutschen Universität zurückführen. Wäre das überhaupt wünschenswert?

Es ist gewiß nützlich, ein 600jähriges Gründungsjubiläum auch dazu zu nutzen, um an die Idee der Universität und an das, was von ihr übriggeblieben ist, zu erinnern. Das wie immer auch verdünnte korporative Bewußtsein der Universitätsangehörigen wird durch eine solche Erinnerung vielleicht sogar gefestigt – dies aber nur dann, wenn die Erinnerungsarbeit selber die Form einer wissenschaftlichen Analyse annimmt und nicht bloß eine Zeremonie bleibt, die für den technokratischen Hochschulalltag mit Sonntagsgefühlen entschädigen soll. Um das korporative Selbstverständnis der Universität wäre es schlecht bestellt, wenn es in so etwas wie einem normativen Leitbild verankert wäre; denn Ideen kommen und gehen. Der Witz der alten Universitätsidee bestand gerade darin, daß sie in etwas Stabilerem gegründet werden sollte – eben in dem auf Dauer ausdifferenzierten Wissenschaftsprozeß selber. Wenn nun aber die Wissenschaft als ein solcher Ideenanker nicht mehr taugt, weil die Mannigfaltigkeit der Disziplinen keinen Raum mehr läßt für die totalisierende Kraft sei es einer alles umfassenden philosophischen Grundwissenschaft oder auch nur einer aus den Fächern selbst hervorgehenden Reflexionsform materialer Wissenschaftskritik, worin könnte dann ein integrierendes Selbstverständnis der Korporation gegründet sein?

Die Antwort findet sich bereits bei Schleiermacher: »Das erste Gesetz jedes auf Erkenntnis gerichteten Bestrebens (ist): Mitteilung; und in der Unmöglichkeit, irgendetwas auch nur für sich allein ohne Sprache hervorzubringen, hat die Natur selbst dieses Gesetz ganz deutlich ausgesprochen. Daher müssen sich rein aus dem Triebe nach Erkenntnis ... auch alle zu seiner zweckmäßigen Befriedigung nötigen Verbindungen, die verschiedenen Arten der Mitteilung und der Gemeinschaft aller Beschäftigungen von selbst gestalten.« Ich stütze mich auf diesen einen von Schleiermachers *Gelegentlichen Gedanken über Universitäten im deutschen Sinne*[37] ohne Sentimentalität, weil ich im Ernst meine, daß es die kommunikativen Formen der wissenschaftlichen Argumentation sind, wodurch die universitären Lernprozesse in ihren verschiedenen Funktionen letztlich zusammengehalten werden.

Schleiermacher hält es für »einen leeren Schein, als ob irgendein wissenschaftlicher Mensch abgeschlossen für sich in einsamen Arbeiten und Unternehmungen lebe«; sosehr er in der Bibliothek, am Schreibtisch, im Laboratorium alleine zu arbeiten scheint, so unvermeidlich sind seine Lernprozesse eingelassen in eine öffentliche Kommunikationsgemeinschaft der Forscher. Weil das Unternehmen kooperativer Wahrheitssuche auf diese Strukturen einer öffentlichen Argumentation verweist, kann Wahrheit – oder sei's auch nur die in der *community of investigators* erworbene Reputation – niemals zum bloßen Steuerungsmedium eines selbstgeregelten Subsystems werden. Die wissenschaftlichen Disziplinen haben sich in fachinternen Öffentlichkeiten konstituiert, und nur in diesen Strukturen können sie sich ihre Vitalität erhalten. Die fachinternen Öffentlichkeiten schießen zusammen und verzweigen sich wiederum in den universitätsöffentlichen Veranstaltungen. Der altväterliche Titel des Ordentlichen öffentlichen Professors erinnert an den Öffentlichkeitscharakter der Vorlesungen, der Seminare und der wissenschaftlichen Kooperation in den Arbeitsgruppen der angegliederten Institute. Es gilt eben nicht nur für die Idealform des Seminars, sondern für die Normalform der wissenschaftlichen Arbeit, was Humboldt vom kommunikativen Umgang der Professoren mit ihren Studenten gesagt hat: der Lehrer würde, »wenn sie (Studenten und jüngere Kollegen) sich nicht von selbst um ihn versammelten, sie aufsuchen, um seinem Ziele näher zu kommen durch die Verbindung der geübten, aber eben darum auch leichter einseitigen und schon weniger lebhaften Kraft mit der schwächeren und noch parteiloser nach allen Richtungen mutig hinstrebenden«.[38]

Ich kann Ihnen versichern, daß sich dieser Satz in dem fester organisierten Betrieb eines Max-Planck-Institutes nicht weniger bewahrheitet als in einem philosophischen Seminar. Noch jenseits der Universität behalten wissenschaftliche Lernprozesse etwas von ihrer universitären Ursprungsform. Sie alle leben von der Anregungs- und Produktivkraft eines diskursiven Streites, der die *promissory note* des überraschenden Argumentes mit sich führt. Die Türen stehen offen, in jedem Augenblick kann ein neues Gesicht auftauchen, ein neuer Gedanke unerwartet eintreten.

Ich möchte nun nicht den Fehler wiederholen, die Kommunikationsgemeinschaft der Forscher ins Exemplarische zu stilisieren. Im egalitären und universalistischen Gehalt ihrer Argumentationsformen drücken sich zunächst nur die Normen des Wissenschaftsbetriebs aus, nicht die der Gesellschaft im ganzen. Aber sie haben auf prononcierte Weise Teil an jener kommunikativen Rationalität, in deren Formen moderne, also nicht festgestellte, leitbildlose Gesellschaften sich über sich selbst verständigen müssen.

Anmerkungen

1 K. Jaspers, K. Rossmann, *Die Idee der Universität*, Heidelberg 1961.
2 Jaspers, Rossmann (s. Anm. 1), S. 36.
3 K. Reumann, *Verdunkelte Wahrheit*, in: *FAZ* vom 24. März 1986.
4 H. Schelsky, *Einsamkeit und Freiheit*, Hamburg 1963, S. 274.
5 W. Nitsch, U. Gerhardt, C. Offe, U. K. Preuss, *Hochschule in der Demokratie*, Neuwied 1965, S. VI.
6 Jaspers, Rossmann (s. Anm. 1), S. 7.
7 Nicht berücksichtigt sind weitere 94 Fachhochschulen und 26 Kunsthochschulen. Vgl. H. Köhler, J. Naumann, *Trends der Hochschulentwicklung 1970 bis 2000*, in: *Recht der Jugend und des Bildungswesens*, 32. Jg. 1984, H. 6, S. 419 ff. Ein Überblick in: Max-Planck-Institut für Bildungsforschung, *Das Bildungswesen in der Bundesrepublik*, Hamburg 1984, S. 228 ff.
8 Max-Planck-Institut für Bildungsforschung, *Bildungsbericht II*.
9 Wissenschaftsrat, *Empfehlungen und Stellungnahmen*, 1984; ders., *Empfehlungen zum Wettbewerb im deutschen Hochschulsystem*, 1985; ders., *Empfehlungen zur Struktur des Studiums*, 1985; *Empfehlungen zur klinischen Forschung*, 1985.
10 K. Hüfner, J. Naumann, H. Köhler, G. Pfeffer, *Hochkonjunktur und Flaute: Bildungspolitik in der BRD*, Stuttgart 1986, S. 200 ff. Vgl. auch: K. Hüfner, J. Naumann, *Konjunkturen der Bildungspolitik in der BRD*, Stuttgart 1977.
11 Dafür sprechen auch die nationalen Ungleichzeitigkeiten der Karrieren von bildungsreformerischen Vorschlägen. So haben beispielsweise im vergangenen Jahr die 50 Professoren am Collège de France dem französischen Präsidenten Bildungsreformempfehlungen vorgelegt, die in Tenor und Zielsetzung an das Reformklima der späten sechziger Jahre in der Bundesrepublik erinnern; die von Pierre Bourdieu inspirierten Empfehlungen sind erschienen in: *Neue Sammlung*, Jg. 25, 1985, H. 3.
12 W. von Humboldt, *Über die innere und äußere Organisation der Höheren wissenschaftlichen Anstalten* (1810), in: E. Anrich (Hg.), *Die Idee der Deutschen Universität*, Darmstadt 1959, S. 379.

13 »Wenigstens ein anständiges und edeles Leben gibt es für den Staat ebensowenig als für den einzelnen, ohne mit der immer beschränkten Fertigkeit auf dem Gebiete des Wissens doch einen allgemeinen Sinn zu verbinden. Für alle diese Kenntnisse macht der Staat natürlich und notwendig eben die Voraussetzung wie der einzelne, daß sie in der Wissenschaft müssen begründet sein, und nur durch sie recht können fortgepflanzt und vervollkommnet werden.« F. Schleiermacher, *Gelegentliche Gedanken über Universitäten im deutschen Sinn* (1808), in: E. Anrich (Hg.) (s. Anm. 12), S. 226.
14 F. W. J. Schelling, *Vorlesungen über die Methode des akademischen Studiums* (1802), in: Anrich (Hg.), S. 20.
15 Schelling, in: Anrich (Hg.) (s. Anm. 12), S. 21.
16 E. Martens, H. Schnädelbach, *Philosophie-Grundkurs*, Hamburg 1985, S. 22 ff.
17 J. G. Fichte, *Deduzierter Plan einer in Berlin zu errichtenden höheren Lehranstalt*, in: Anrich (Hg.) (s. Anm. 12), S. 217.
18 Schleiermacher, in: Anrich (Hg.) (s. Anm. 12), S. 259 f.
19 Humboldt, in: Anrich (Hg.) (s. Anm. 12), S. 378.
20 Zu den Reaktionen der deutschen Philosophie auf diese neue Situation vgl. H. Schnädelbach, *Philosophie in Deutschland 1931-1933*, Frankfurt/Main 1983, S. 118 ff.
21 J. Klüwer, *Universität und Wissenschaftssystem*, Frankfurt/Main 1983, S. 1985.
22 L. von Friedeburg, *Elite – elitär?*, in: G. Becker u. a. (Hg.), *Ordnung und Unordnung*, Weinheim 1986, S. 23 ff.
23 Th. Ellwein, *Die deutsche Universität*, Königstein 1985, S. 124 ff.
24 F. K. Ringer, *The Decline of the German Mandarins*, Cambridge/Mass. 1969.
25 Vgl. meine Rezension des Buches von Ringer: *Die deutschen Mandarine*, in: J. Habermas, *Philosophisch-Politische Profile*, Frankfurt/Main 1981, S. 458 ff.
26 Vgl. zu dieser These J. Klüwer (s. Anm. 21).
27 Ellwein (s. Anm. 23), S. 238.
28 Schelsky (s. Anm. 4), S. 275.
29 Schelsky (s. Anm. 4), S. 290.
30 J. Habermas, *Vom sozialen Wandel akademischer Bildung*; ders., *Universität in der Demokratie – Demokratisierung der Universität*, beide in: ders., *Kleine Politische Schriften I-IV*, Frankfurt/Main 1981, S. 101 ff. und S. 134 ff.
31 Jaspers, Rossmann (s. Anm. 1), S. 33 ff.
32 Schelsky (s. Anm. 4), S. 299: »Die Gefahr, daß der Mensch sich nur in äußere, umweltverändernde Handlung auslegt und alles, den anderen Menschen und sich selbst, in dieser Gegenstandsebene der konstruktiven Handlung festhält und behandelt. Diese neue Selbstentfremdung

des Menschen, die ihm die innere Identität seiner selbst und des anderen rauben kann, diese neue metaphysische Versuchung des Menschen, ist die Gefahr, daß der Schöpfer sich in sein Werk, der Konstrukteur in seine Konstruktion verliert. Der Mensch schaudert zwar davor zurück, sich restlos in die selbstproduzierte Objektivität, in ein konstruiertes Sein, zu transferieren und arbeitet doch unaufhörlich am Fortgang dieses Prozesses der wissenschaftlich-technischen Selbstobjektivierung.«

33 Vgl. Anm. 30.

34 Schelsky, *Einsamkeit und Freiheit*, 2. Aufl., Hamburg 1970, S. 243.

35 Schelsky (s. Anm. 4), S. 267.

36 T. Parsons, G. M. Platt, *The American University*, Cambridge/Mass. 1973, vgl. Appendix zu Kap. 2, S. 90 ff.

37 In: Anrich (Hg.) (s. Anm. 12), S. 224.

38 Humboldt, in: Anrich (Hg.) (s. Anm. 12), S. 378.

5. Die Schrecken der Autonomie
Carl Schmitt auf englisch

Die Rezension (für The Times Literary Supplement) entstand aus Anlaß der ersten englischen Übersetzung von zwei frühen Schriften Carl Schmitts, nämlich der Politischen Theologie (1922) und der Geistesgeschichtlichen Grundlagen des Parlamentarismus (1923).

Die Schrecken der Autonomie

Im Kontext angelsächsischer Diskussionen kann man sich Carl Schmitt nicht gut vorstellen. Das geistige Profil dieses Mannes und sein politisches Schicksal gehören in eine sehr deutsche Tradition – auch da noch, wo sich seine katholische Mentalität von der Umgebung der protestantisch gefärbten Universität der deutschen Mandarine abhebt.

Carl Schmitt war ein Jahr älter als Adolf Hitler, der ihm zum Schicksal wurde. Im vergangenen Jahr ist er in seinem westfälischen Geburtsort Plettenberg 97jährig gestorben. Die leidenschaftlichen Nachrufe bezeugten es: noch heute scheiden sich an Carl Schmitt die Geister.

Ein expressionistischer Begriff des Politischen

1932 erschien die berühmte Schrift zum *Begriff des Politischen*, in der sich Carl Schmitt beiläufig auch mit der pluralistischen Staatstheorie von Harold J. Laski auseinandersetzt. Natürlich kennt der Autor Max Webers einschlägige Definitionen. Aber er ist kein Sozialwissenschaftler und interessiert sich nicht für einen analytischen Begriff der politischen Macht. Schmitt fragt wie ein traditioneller Philosoph nach dem »Wesen« des Politischen. Aus der Sicht des Aristoteles liest sich freilich die Erklärung, die er dann gibt, eher wie eine Antwort auf die Frage nach dem Wesen des Strategischen. Das Politische erweist sich nicht etwa am bindenden Charakter der Entscheidungen einer staatlichen Autorität; es soll vielmehr in der kollektiv organisierten Selbstbehauptung eines »politisch existierenden« Volkes gegen äußere und innere Feinde zum Vorschein kommen. Carl Schmitts Phantasie entzündet sich an Ernst Jüngers »Stahlgewittern« des Ersten Weltkrieges. Das in einem Kampf auf Leben und Tod zusammengeschweißte Volk behauptet seine Eigenart gegen äußere Feinde wie gegen die Verräter in den eigenen Reihen. Der »Ernstfall« bestimmt sich nach dem Phänomen der kämpfenden Abgrenzung der eigenen Identität gegen das Anderssein eines existenzbedrohenden Feindes, nach der Situation von Volkskrieg und Bürgerkrieg. Jedenfalls ist es »die reale Möglichkeit der physischen Tötung«, die den politischen Ernstfall definiert. Und ein Vorgang soll nur dann politisch heißen dürfen, wenn er mindestens implizit auf diesen Ernstfall bezogen ist: alle Politik ist wesentlich Außenpolitik. Auch die Innenpolitik steht unter Kategorien der Gefährdung durch den existenzbedrohenden Feind. Im expressionistischen Stil seiner Zeit legt sich also Carl Schmitt einen dramatischen Begriff des Politischen zurecht, in dessen Lichte alles, was normalerweise so genannt wird, banal erscheinen muß.

Schon die *Politische Theologie* von 1922 sollte – in Fortsetzung eines Buches über die Diktatur – den Begriff der souveränen Gewalt in seinen gegenrevolutionären Bedeutungsschichten erneuern. Die 1923 veröffentlichte Kritik an den *Geistesgeschichtlichen Grundlagen des Parlamentarismus* nahm Motive des Buches über die Politische Romantik auf und vollzog eine schonungslose Abrechnung mit dem Liberalismus. Die dezisionistische Staatslehre, die Carl Schmitt in dem einen Buch propagiert, geht nahtlos aus der im anderen Buch vorgenommenen Kritik am vernunftrechtlich begründeten politischen Denken hervor. Der abgründige Charakter dieser beiden frühen Arbeiten tritt noch deutlicher im Lichte des Hauptwerks, der ebenfalls nicht sehr umfangreichen Studie über Hobbes, zutage. Darin faßt Carl Schmitt nämlich seine Staatsphilosophie in einem Wurf zusammen. Zudem führt der *Leviathan*, der 1938 entsteht, mitten in der Nazi-Zeit veröffentlicht wird, auch ins politische Zentrum der Schmittschen Gedankenwelt.

Der Mythus vom Leviathan

Schmitt bewundert Hobbes und kritisiert ihn zugleich. Er feiert in Hobbes den einzigen politischen Theoretiker von Rang, der in der souveränen Herrschaft die dezisionistische Substanz staatlicher Politik erkannt habe. Er bedauert aber auch den bürgerlichen Theoretiker, der vor letzten metaphysischen Konsequenzen zurückgescheut und wider Willen zum Ahnherrn des gesetzespositivistischen Rechtsstaates geworden sei.

Der politische Theologe Carl Schmitt sieht seine ambivalente Einschätzung schon durch »Sinn und Fehlschlag eines politischen Symbols« bestätigt. Gemeint ist das alttestamentarische Bild vom

Leviathan, dem riesigen teuflischen Drachen, dem auf Erden keine Macht gewachsen ist. Der Leviathan erhebt sich aus dem Meer und überwältigt Behemoth, die Macht des festen Landes. Den Juden sei dieser Kampf der Ungeheuer immer schon als furchterregendes und hassenswertes Bild heidnischer Lebenskraft erschienen. Weil er diese subversive Lesart nicht kannte, habe sich Hobbes in der Wahl seines Symbols vergriffen. Seine gegenläufige Intention sei der verderblichen Kraft des mythischen Bildes erlegen. Die unter diesem Bilde dargestellte Substanz des neuzeitlichen Staates wurde nämlich in den folgenden Jahrhunderten als naturwidrige Abnormität verkannt: »Das Bild war dem Gedankensystem, mit dem es verbunden wurde, nicht adäquat... Die überkommene jüdische Deutung schlug auf den Leviathan des Hobbes zurück.«

Diesen mythologischen Rahmen füllt Schmitt sodann ideengeschichtlich mit zwei Thesen. Zuerst projiziert er seine 1922 in der *Politischen Theologie* entwickelte Idee der Souveränität auf Hobbes zurück. Wie der Leviathan nur in der Bezwingung des Behemoth die Gewalt ist, die er ist, so behauptet sich der Staat als souveräne Gewalt nur, indem er den revolutionären Widerstand niederhält. Der Staat ist der fortwährend verhinderte Bürgerkrieg. Seine Dynamik ist die Unterdrückung der Revolte, die fortgesetzte Bändigung eines Chaos, das in der bösen Natur der Individuen angelegt ist. Diese drängen auf ihre Autonomie und würden im Schrecken ihrer Emanzipation umkommen, wenn sie nicht gerettet würden durch die Faktizität einer Macht, die jede andere Macht überwältigt. Souverän ist, wer über den Ausnahmezustand entscheidet. Und weil die subversiven Kräfte stets im Namen von Wahrheit und Gerechtigkeit auftreten, muß sich der Souverän, der dem Ausnahmezustand vorbeugen will, auch die Entscheidung darüber vorbehalten, zu definieren, was als wahr oder gerecht öffentlich gilt. Seine Entscheidungsmacht ist die Quelle aller Geltung. Der Staat allein bestimmt das öffentliche Bekenntnis seiner Bürger.

Hinsichtlich des religiösen Bekenntnisses unterläuft nun aber Hobbes, wie Schmitt meint, eine folgenreiche Inkonsequenz: er unterscheidet »faith« von »confession« und erklärt die Neutralität des Staates gegenüber der Konfession der Bürger, ihrem privaten Glauben. Allein der öffentliche Kultus untersteht der staatlichen Kontrolle. Auf diese angeblich inkonsequente Unterscheidung stützt Carl Schmitt seine zweite These. Den von Hobbes eingeräumten privaten Glaubensvorbehalt begreift er als das Einfallstor für die Subjektivität des bürgerlichen Gewissens und der privaten Meinung, die schrittweise ihre subversive Kraft entfalten. Diese Privatsphäre wird nämlich nach außen gestülpt und erweitert sich zur bürgerlichen Öffentlichkeit; darin bringt sich die bürgerliche Gesellschaft als politische Gegengewalt zur Geltung und stürzt schließlich mit der Befugnis zur parlamentarischen Gesetzgebung den Leviathan vom Thron. Dieses Szenario läßt allerdings völlig außer acht, daß Hobbes seinen Begriff der Souveränität *von Anbeginn* im Zusammenhang mit der Positivierung des Rechts entwickelt hat. Das positive Recht erfordert schon seinem Begriffe nach einen politischen Gesetzgeber, der nicht länger an übergeordnete Normen des Naturrechts gebunden sein darf – und insofern souverän ist. Deshalb ist schon in Hobbes' Idee eines souveränen Gesetzgebers, der ans Medium des positiven Rechts gebunden ist, der Keim für jene Rechtsstaatsentwicklung angelegt, die Carl Schmitt als ein großes Verhängnis ansieht – und erst aus der Neutralisierung der Staatsgewalt gegenüber den privaten Glaubensmächten ableiten möchte.

Der totale Staat und seine Feinde

Diese Version zehrt wiederum von früheren, zuerst in der Parlamentarismusschrift entwickelten Gedanken über die Krise des Rechtsstaates. Ein parlamentarischer Gesetzgebungsstaat war ja in Deutschland erst nach dem Ersten Weltkrieg, also unter Bedingungen des organisierten Kapitalismus und in den Formen einer sozialstaatlichen Massendemokratie entstanden. Dieser interventionistische Staat stellte sich Carl Schmitt damals dar als ein von den »gesellschaftlichen Mächten« erobertes Legalitätssystem. Es war gesetzespositivistisch ausgehöhlt und seiner herrschaftlichen Substanz beraubt. Das war das Ergebnis eines jahrhundertelangen Prozesses der Entzauberung einer einst sakralen Staatsgewalt, die auch in der Moderne ihre wahre Souveränität nur als Einheit von weltlicher und geistlicher Macht hätte behaupten können. Diese Einheit hatte sich alsbald in den Dualismus von Staat und Gesellschaft aufgelöst und war dann in den Pluralismus der gesellschaftlichen Mächte zersplittert. Als »indirekte Gewalten« werden

Parteien, Gewerkschaften und Verbände schließlich totalitär, allerdings in unpolitischer Form: sie wollen Macht ohne Verantwortung, haben nur noch Gegner und keine Feinde mehr und scheuen die Gefahr der genuin politischen Selbstbehauptung. Von der politischen Entscheidungsgewalt behalten sie nur noch den bindenden Charakter staatlicher Befehle zurück, nicht das existentielle Risiko einer Selbstbehauptung auf Leben und Tod.

Das Hobbes-Buch hat die Perspektive, aus der sich diese Argumente der zwanziger Jahre zusammenfügen, entfaltet. Weimar erschien als die Verfallsperiode: die Reste eines selbst von Hobbes bereits halbherzig konzipierten Staates lösten sich auf in einer unpolitischen »Selbstorganisation der Gesellschaft«. Die Krise konnte nur auf dem Wege über eine vorübergehende diktatorische Ausnutzung des Notstandsparagraphen 48 der Weimarer Verfassung, dauerhaft jedoch nur durch den »totalen Staat« überwunden werden. Dabei dachte Schmitt zunächst an Mussolini und den italienischen Faschismus. Nach der Machtergreifung durch die Nazis war er opportunistisch genug, seiner Staatskonstruktion jene kleine Wendung zu geben, die nötig war, um den Dezisionismus des Führers nicht mehr rein Hobbesianisch verstehen zu müssen, sondern als die souveräne Spitze über den »konkreten Ordnungen« des Volkes. Diesen Sinn hat das Vorwort zur zweiten Auflage der *Politischen Theologie* aus dem Jahre 1933, in dem Schmitt sich beeilt, die dezisionistische Art des rechtswissenschaftlichen Denkens zur »institutionalistischen« weiterzuentwickeln.

Wie gut dem unter Hermann Görings Protektion stehenden Preußischen Staatsrat diese Anpassung gelang, zeigt eben der *Leviathan*. Das gilt vor allem für die geistesgeschichtliche Durchführung der erwähnten These, daß am Ende die jüdische Deutung auf den Leviathan zurückschlage: Schmitt konstruiert eine antisemitische Genealogie der Feinde des Leviathan. Sie beginnt mit Spinoza, der als jüdischer Philosoph von außen an die Staatsreligion herantritt und der individuellen Gedankenfreiheit eine gefährliche Bresche geschlagen hat; sie setzt sich fort in Moses Mendelssohn und im »rastlosen Geist der Juden« in den Freimaurer- und Illuminatenorden des ausgehenden 18. Jahrhunderts, die »instinktsicher« die staatliche Macht unterminiert haben – »zur Lähmung des fremden und zur Emanzipation des eigenen jüdischen Volkes«; sie führt schließlich zu den emanzipierten Juden

Heine, Börne und Marx, die ihre »Operationsgebiete« in Publizistik, Kunst und Wissenschaft subversiv ausnutzen. Sie alle haben den Leviathan, den Staat als Mythus, »geistig paralysiert«.

Carl Schmitts Nachwirkung in der Bundesrepublik

Vor einigen Jahren ist der Erstdruck des Schmittschen *Leviathan* wieder aufgelegt worden – mit einem Nachwort des Herausgebers, übrigens eines enttäuschten Aktivisten der späten sechziger Jahre, der seine politische Libido von Fidel Castro abgezogen und auf Carl Schmitt verschoben hat. Günther Maschke will zwar die jüdische Ahnengalerie der Feinde des totalen Staates nicht als bloßen Lippendienst verharmlosen – wie es George Schwab (der Übersetzer von *Political Theology*) in seinem Buch *The Challenge of Exception* getan hatte; aber er möchte sie doch auf das Format von Zeugnissen »eines klassischen katholischen Antijudaismus« zurückgeführt sehen. Im übrigen bemüht sich Maschke, Carl Schmitts Situation während der NS-Herrschaft, so gut es eben geht, mit dessen eigenen Augen zu sehen. Statt eines Wortes der Selbstkritik hatte dieser sich nämlich als der »Benito Cereno des Europäischen Völkerrechts« dargestellt. Das ist eine Anspielung auf jenen unglücklichen Kapitän in Herman Melvilles Roman, von dem alle anderen glauben, er sei der Herr des Piratenschiffs, auf dem er tatsächlich als Geisel sein Leben riskieren mußte.

In England und in den USA wird man sich wundern, warum ein Mann wie Carl Schmitt in der Bundesrepublik auch noch vierzig Jahre danach einen erheblichen intellektuellen Einfluß ausübt. Dafür liegen die Gründe zunächst in der Qualität seines Werkes. Carl Schmitt war, wie seine brillante *Verfassungslehre* von 1928 zeigt, ein kompetenter Staatsrechtler, der als scharfsinniger Kontrahent auch von den einflußreichsten Juristen der Weimarer Zeit, von Richard Thoma, Hermann Heller oder Rudolf Smend, ernstgenommen wurde. Darüber hinaus war Carl Schmitt ein guter Schriftsteller, der begriffliche Prägnanz mit überraschenden, geistreichen Assoziationen verbinden konnte. Diese Kunst der Formulierung schlägt auf die englische Übersetzung leider nicht durch. Im übrigen war Schmitt ein Intellektueller, der bis in die dreißiger Jahre hinein sein Fachwissen für Zeitdiagnosen von hoher Sensibilität eingesetzt hat. Schließlich behielt er, bei aller Klarheit der Sprache, den Gestus des Metaphysikers, der in die Tiefe führt und gleichzeitig eine schnöde Realität entlarvt.

Diese Qualitäten allein hätten freilich den Diskreditierungseffekt eines rüden Antisemitismus und der Anbiederung an die Nazi-Autoritäten nicht wettmachen können, wäre nicht anderes hinzugekommen. Schmitt hatte und hat noch bedeutende Schüler, auch Schüler von Schülern – bis hinein ins Bundesverfassungsgericht. Mit Ernst Forsthoff nahm Schmitt Einfluß auf die in den fünfziger Jahren geführte Kontroverse der Staatsrechtler über das Verhältnis von Rechtsstaat und Sozialstaat. Und noch lange betrieb der alte Herr von seinem Privatsitz aus eine erfolgreiche Nachwuchspolitik; wissenschaftliche Arbeiten bekannter Juristen, Historiker und Philosophen wurden von ihm persönlich inspiriert.

Freilich hätte auch diese Konstellation noch nicht genügt, wenn nicht die Mentalität der Jungkonservativen nach wie vor faszinieren würde. Erinnern wir uns. Der Rechtshegelianismus hatte in den zwanziger Jahren eine peinigende Leere hinterlassen, nachdem die soziologische Aufklärung eines Max Weber der Autorität des Staates die Aura einer Verschwisterung mit Vernunft und Religion abgestreift hatte. Man wollte damals mit dem Verlust der Aura fertig werden, konnte sich aber mit dem banalisierten Geschäft eines parteiendemokratisch beherrschten Verwaltungsstaates nicht abfinden. Einerseits war man zynisch geworden und durchschaute das bloß Mechanische des Betriebs; andererseits sollten gegen ihn die Substanz und das Geheimnis der verwitterten Souveränität erneuert werden – und sei's durch den Akt einer unerhörten Exaltation.

Diese vage Sehnsucht konnte ein Carl Schmitt befriedigen, der aus derselben Generationserfahrung schöpfte wie Martin Heidegger, Gottfried Benn und noch Ernst Jünger. Sie alle trafen mit ihren pseudorevolutionären Antworten diese Sehnsucht nach dem ganz Alten im ganz Anderen – und immer lief sie auf ganz das Alte hinaus. Auch heute hat diese Botschaft ihren *appeal* noch nicht verloren – vor allem in einigen verschwitzten Subkulturen ehemals linker Provenienz.

In der zeitgenössischen *französischen* Philosophie spielen die deutschen Meisterdenker Nietzsche und Heidegger, die Glucksmann gegen Hegel und Marx aufbietet, eine eher verwirrende Rolle. Ich rechne aber nicht damit, daß Carl Schmitt in der *angelsächsischen Welt* eine ähnliche Ansteckungskraft haben wird. Sonst sollte man auch einmal eine auf Anregung von Helmuth Plessner zurückgehende Studie zum Vergleich von Carl Schmitt mit Ernst Jünger und Martin Heidegger zur Kenntnis bringen: die immer noch lesenswerte Dissertation von Christian von Krockow aus dem Jahre 1958 (Stuttgart). Außerhalb des politisch belasteten deutschen Kontextes sehe ich die Chance zu einer vielleicht unhistorischen, aber unbefangenen Diskussion mancher sachlicher Anregungen. Carl Schmitts Denkmotive können auch heute noch etwas in Bewegung setzen.

Carl Schmitt selbst ist 1970 noch einmal auf seine *Politische Theologie* zurückgekommen (*Politische Theologie II*, Berlin), um Verbindungen zu zwei zeitgenössischen Diskussionen herzustellen, die in der Tat naheliegen. Die *Politische Theologie* ist ja in den sechziger Jahren von Theologen wie Johann Baptist Metz und Jürgen Moltmann unter dem Einfluß von Ernst Bloch, also in einem ganz anderen Sinne, wiederaufgenommen worden; inzwischen haben die dogmatischen Streitigkeiten über die nachkonziliaren Denkbewegungen auch jener in Südamerika verbreiteten Theologie der Befreiung eine neue Aktualität verliehen. Parallelen mit dem dritten und vierten Kapitel der Schmittschen Schrift von 1922 liegen auf der Hand – auch wenn ihr Autor ein halbes Jahrhundert später vorgab, damals bloß an den analogen Begriffsbildungen in der theologischen und der rechtswissenschaftlichen Dogmatik interessiert gewesen zu sein. Tatsächlich waren aber die in Spenglerscher Manier herausgestellten morphologischen Ähnlichkeiten zwischen theologischen und staatsphilosophischen Denkfiguren für ihn kein Selbstzweck gewesen. Der Vergleich beispielsweise zwischen der Rolle des Wunders in der Theologie und der des Ausnahmezustandes in der politischen Philosophie sollte seiner Souveränitätslehre eine Tiefendimension verleihen. Schmitt wollte die unmittelbar theologisch motivierte Staatsphilosophie der Gegenrevolution ins Spiel bringen – insbesondere die Lehre des Donoso Cortes, der nach 1848 mit dem betulichen

Legitimismus der Julimonarchie aufräumte und der diskutierenden Herrschaft des liberalen Bürgertums eine religiös-existentiell gerechtfertigte Diktatur entgegensetzte. Was verbindet eine solche Theologie der Gegenrevolution mit der Theologie der Befreiung? Und was bedeutet es, daß heute die Thesen von Kardinal Ratzinger, die doch eher in den Rahmen einer Theologie der Gegenrevolution hineinpassen, im Namen einer beinahe Barthschen Kritik an *jeder* politischen Theologie auftreten können?

Das berührt schon den zweiten Diskussionszusammenhang, in den heute der politische Katholizismus eines Carl Schmitt hineingehört – den Streit um die Legitimität, also das Eigenrecht, der Neuzeit. Kann sich die Moderne in dem Bewußtsein, ihre normativen Orientierungen aus sich selber zu schöpfen, stabilisieren, oder muß sie sich, als das haltlose Produkt einer zersetzenden Säkularisierung, doch wieder in den Horizont von Heilsgeschichte und Kosmologie zurückrufen lassen? In den achtziger Jahren sind Tendenzen einer Rückkehr zur Metaphysik unverkennbar; symptomatisch ist die Denkbewegung des katholischen Philosophen Robert Spaemann, der von Carl Schmitts Dezisionismus ausgegangen und inzwischen bei Plato angelangt ist. Vielleicht erklärt sich aus diesem modernitätskritischen Rückbezug auf die Tradition auch das auf den ersten Blick merkwürdige Interesse, das amerikanische Schüler von Leo Strauss und Michael Oakeshott daran haben, Carl Schmitt posthum in die angelsächsische Welt einzuführen.

Ein weiteres Interesse an dieser kleinen Schrift könnte sich auf Carl Schmitts Beziehung zu Hugo Ball berufen, zu einem Dadaisten also, der aus dem Züricher Café Voltaire in den Schoß der alleinseligmachenden Kirche zurückgekehrt war. Carl Schmitts polemische Auseinandersetzung mit der Politischen Romantik verdeckt nämlich die ästhetisierenden Oszillationen des eigenen politischen Denkens. Auch in dieser Hinsicht zeigte sich eine Geistesverwandtschaft mit der faschistischen Intelligenz. Das letzte Kapitel des Parlamentarismus-Buches trägt den Titel »Irrationalistische Theorien unmittelbarer Gewaltanwendung«. Darin zieht Carl Schmitt eine Linie von Donoso Cortes über Sorel zu Mussolini und stellt die scharfsichtige Prognose, daß der Mythus des Generalstreiks vom Mythus der Nation besiegt werden wird. Vor allem fasziniert ihn aber die Ästhetik der Gewalt. Die nach dem Modell der Schöpfung aus dem Nichts gedeutete Souveränität gewinnt durch den Bezug zur gewaltsamen Destruktion des Normativen überhaupt einen Strahlenkranz surrealistischer Bedeutungen. Das fordert den Vergleich mit Georges Batailles Begriff der Souveränität heraus und erklärt auch, warum Carl Schmitt sich damals gedrängt fühlte, dem jungen Walter Benjamin zu seinem Aufsatz über G. Sorel zu gratulieren.

Die normativen Grundlagen der Demokratie

Gewiß, vor dem angelsächsischen Hintergrund eines empiristischen Verständnisses demokratischer Willensbildung, das Demokratie unverfänglich mit Interessenausgleich, Mehrheitsherrschaft und Elitebildung zusammenbringt, wirken Carl Schmitts Überlegungen provokativ. Aber man muß nicht, wie Carl Schmitt und später Arnold Gehlen, einem Harriouschen Institutionalismus anhängen und an die *stiftende* Kraft von Ideen glauben, um der *legitimierenden* Kraft des Selbstverständnisses einer etablierten Praxis eine nicht unerhebliche faktische Bedeutung beizumessen. In diesem trivialeren Sinne kann man das Interesse an den geistesgeschichtlichen Grundlagen der parlamentarischen Gesetzesherrschaft auch verstehen. Über die normativen Grundlagen der Demokratie wird immer noch gestritten, weil vom Selbstverständnis der Demokratie nicht nur die Stabilität einer bestehenden Praxis abhängt, sondern auch die Maßstäbe für deren kritische Einschätzung.

Carl Schmitt spitzte freilich jene Ideen, die den Parlamentarismus nach seiner Auffassung erklären, idealistisch derart zu, daß sie in den Augen des Lesers ohne weitere Argumente jeden Halt in der Realität zu verlieren schienen. Wie er diese idealistische Zuspitzung und Ridikulisierung vornimmt, ist nach wie vor lehrreich – lehrreich übrigens auch für jene Linken in der Bundesrepublik und, heute vor allem, in Italien, die den Teufel mit dem Beelzebub austreiben, indem sie das Loch der fehlenden marxistischen Demokratietheorie mit Carl Schmitts faschistischer Demokratiekritik stopfen.

Das Medium der öffentlichen und durch Argumente gesteuerten Diskussion, das Schmitt lächerlich macht, ist in der Tat wesentlich für jede demokratische Rechtfertigung der politischen Herrschaft. Auch die Mehrheitsregel kann man als ein Verfahren interpretieren, das realistische Annäherungen an die Idee einer möglichst vernünftigen Konsensbildung unter Entscheidungsdruck ermöglichen soll. Schmitt macht daraus eine Karikatur, indem er, bereits auf der Ebene des theoretischen Selbstverständnisses der Demokratie, drei Dinge ignoriert. Zunächst sind die Rationalitätsunterstellungen, die die Teilnehmer an einer diskursiven Willensbildung *in actu* vornehmen müssen, notwendige, aber in der Regel kontrafaktische Voraussetzungen. Gleichwohl kann man nur im Lichte solcher Rationalitäts*unterstellungen* überhaupt die Funktion und den Sinn parlamentarischer Geschäftsordnungen begreifen. Ferner beziehen sich praktische Diskurse auf die Verallgemeinerbarkeit von Interessen; man darf deshalb den Wettbewerb um bessere Argumente nicht wie Schmitt in Gegensatz bringen zur Konkurrenz der zugrundeliegenden Interessen. Und schließlich geht es nicht an, die Verhandlung über Kompromisse völlig aus diesem Modell der öffentlichen Willensbildung auszublenden; ob freilich Kompromisse unter fairen Bedingungen zustande kommen, läßt sich wiederum nur diskursiv prüfen.

Den eigentlich problematischen Zug tut Carl Schmitt freilich mit der Trennung von Demokratie und Liberalismus. Er beschränkt das Verfahren der öffentlichen Diskussion auf die Rolle der parlamentarischen Gesetzgebung und entkoppelt es von demokratischer Willensbildung überhaupt. Als hätte nicht die liberale Theorie immer auch schon die Vorstellung einer generellen Meinungs- und Willensbildung in der politischen Öffentlichkeit eingeschlossen. Demokratisch ist die Bedingung der chancengleichen Teilnahme aller an einem durchs Medium öffentlicher Diskussion hindurchgeleiteten Legitimationsprozeß. Schmitt will die identitär verstandene Demokratie von der (dem Liberalismus zugeschlagenen) öffentlichen Diskussion aus durchsichtigen Zwecken abtrennen. Er stellt die begrifflichen Weichen so, daß er die demokratische Willensbildung von den universalistischen Voraussetzungen allgemeiner Partizipation lösen, auf ein ethnisch homogenes Bevölkerungssubstrat einschränken und zur argumentfreien Akklamation unmündiger Massen herabsetzen kann. Nur so läßt sich nämlich eine cäsaristische und völkisch homogene Führerdemokratie vorstellen, in der sich so etwas wie »Souveränität« verkörpert. Damit liefert übrigens Carl Schmitt das Demokratiekonzept, das seine in die USA emigrierten Kollegen später für ihre Totalitarismustheorie verwenden werden.

Heute ist wieder aktuell, was Carl Schmitt gegen die »allgemeine Bedeutung des Glaubens an die Diskussion« einzuwenden hat. Hier berührt seine Kritik den Kern des okzidentalen Rationalismus. Daß sich die Töne, damals wie heute, gleichen, ist Grund genug, zu erbleichen.

6. Eine Art Schadensabwicklung

Wolfgang Mommsens Vortrag während der Frankfurter Römerberggespräche gab Anlaß zu einer ersten Reaktion auf Ernst Noltes am Vortage erschienenen Artikel *Vergangenheit, die nicht vergehen will* (*FAZ* vom 6. Juni 1986). Mein ein Monat später in *Die Zeit* erschienener Artikel greift das Thema des verharmlosenden Revisionismus in größerem Zusammenhang auf. (Der in eckige Klammern gesetzte einleitende Teil wurde ebenso wie der Anmerkungsteil auf Wunsch der Redaktion gestrichen.) Ein weiterer Artikel bildete den vorläufigen Abschluß der durch heftige Reaktionen der *Frankfurter Allgemeinen Zeitung* ausgelösten und in *Die Zeit* fortgeführten Debatte. Meine Nachschrift vom 23. Februar 1987 beantwortet eine Polemik von Andreas Hillgruber.

Eine Diskussionsbemerkung

Ich möchte noch einmal auf den Vortrag von Wolfgang J. Mommsen zurückkommen. Herr Mommsen, mich interessiert, ob und gegebenenfalls in welchem Umfang die Geschichtswissenschaft heute Aufgaben der Ideologieplanung erfüllen kann. Sie haben einen eindrucksvollen Gegenentwurf entwickelt zu einigen Ihrer Kollegen, das heißt zu denjenigen, die seit einigen Jahren versuchen, die Geschichtswissenschaft (nicht nur über die Gründung von Museen, sondern auch auf dem Wege der dabei entstehenden Hintergrundinterpretationen) ganz funktional einzusetzen für eine Stärkung des historischen Bewußtseins beziehungsweise dessen, was sie so nennen, für eine Stärkung der Kräfte sozialer Integration, um befürchteten Instabilitäten entgegenzuwirken.

Natürlich haben die Geschichtswissenschaften – Sie haben in Ihrem Vortrag ja darauf hingewiesen und Hans-Ulrich Wehler hat das zuletzt noch im *Parlament* beschrieben – immer auch ideologische Funktionen übernommen, nach 1849 und im Bismarckreich offensiv, in der Weimarer Republik dann schon aus einer defensiven Position heraus. Aber zwei Dinge sind doch in der dann folgenden exzeptionellen Phase, wie Sie sagen, passiert, Dinge, die unmittelbar meine Frage berühren.

Das eine ist eine weitgehende Instrumentalisierung der Geschichtswissenschaft zu manipulativen Zwecken unter Bedingungen der politischen Diktatur. Als wir studierten nach dem Kriege, da brauchte man ja nur in die Seminarbibliotheken zu gehen, um zu sehen, wie von unseren Lehrern eine »deutsche Philosophie« geschrieben worden ist, wie die griechische Philosophie auf die zweite oder dritte arische Einwanderungswelle zurückgeführt worden ist, und so weiter. Das andere ist jene moralische Katastrophe (Auschwitz also), die eine naive Fortsetzung von Kontinuitäten definitiv unmöglich gemacht hat.

Ich frage mich nun, was nach dem Ende des Faschismus gleichsam an ideologiebildenden Funktionen der Geschichtswissenschaft überhaupt noch zugemutet werden kann. Es scheint doch eher so zu sein, daß diese moralische Katastrophe für uns ganz andere Chancen mit sich gebracht hat. Erstens stehen wir unter dem Zwang, daß wir uns, aus Kontinuitäten herausgerissen, zur Vergangenheit nur noch in einer reflexiven Einstellung verhalten können; dann ergibt aber jede Lesart ein ambivalentes Bild der Überlieferung. Zweitens können wir uns wohl Traditionen nur noch unter genau jenen universalistischen Wertorientierungen aneignen, die damals auf eine so unerhörte Weise verletzt worden sind. Und drittens müssen wir mit einem dynamischen, antagonistischen Pluralismus von Lesarten der eigenen Geschichte leben, nicht unter der Prämisse *anything goes*, aber unter der Prämisse, daß das Geschichtsbewußtsein einer ganzen Bevölkerung in sich nur noch dezentriert sein kann. Das waren jedenfalls Nötigungen und Chancen, die uns in einem größeren Maße zuteil wurden als anderen Nationen.

Gleichwohl erleben wir seit etwa zehn Jahren von seiten einer publizistisch wirksamen, im Augenblick regierungsamtlich einflußreichen Gruppe von Historikern den Versuch, die Geschichtsschreibung noch einmal in Anspruch zu nehmen für funktional definierte Aufgaben – sagen wir: für die Schaffung von positiven, »zustimmungsfähigen« Vergangenheiten.

Unter dem Stichwort »Freiheit oder Totalitarismus« bildet dabei oft die »bolschewistische Gefahr« den aktuellen Bezugspunkt, was den Vorzug hat, an einen weitverbreiteten Verdrängungsantikommunismus, den man vorfindet und nicht erst erzeugen muß, anknüpfen zu können. Man braucht ja nur die *FAZ* und den Beitrag aufzuschlagen, den die *FAZ* zu unserer Diskussion termingerecht veröffentlicht hat.

Eine funktionalistische Geschichtsbetrachtung dieser Art muß aber heute in der Bundesrepublik auf zwei Hindernisse stoßen. Das eine Hindernis ist das, was Sie selbst das Exzeptionelle der NS-Periode genannt haben und was den moralischen Hintergrund der einzigartigen Vorgänge bildet, die wir distanziert unter Fremdwörtern wie »Holocaust« und »Shoah« zu benennen uns angewöhnt haben, obwohl wir dazu von Anfang an das schlichte Wort »Auschwitz« hatten. Auschwitz ist ein Hindernis, nicht weil dadurch eine Art Schuldhuberei zustande kommt, sondern weil es eine ganze Bevölkerung gleichsam unter einen Reflexionszwang setzt, der naive Abgrenzungen nach außen und potentielle Ausgrenzungen innerer Feinde mindestens schwieriger macht. Die zweite Schwierigkeit sehe ich darin, daß in der gegenwärtigen politischen und militärstrategischen Situation eine Großmacht-

Polarisierung oder sagen wir die Aktualisierung der antikommunistischen Feindbilder auch nicht gerade unserer Interessenlage entspricht. Diese Hindernisse erfordern besondere Anstrengungen. Man muß den äußeren Feind, ohne den es sogenanntes »historisches« Bewußtsein in einem konventionellen, vorreflexiven Sinn gar nicht geben kann, erst aufbauen. So verstehe ich Noltes Artikel, den ich gestern gelesen habe und den ich schon für erstaunlich halte, auch. Das war jedenfalls meine erste Reaktion. Es geht hier um den Versuch einer Entexzeptionalisierung von Auschwitz, unter anderem mit dem Hinweis, daß das, was die Nationalsozialisten taten, mit alleiniger Ausnahme des technischen Vorgangs der Vergasung, in einer umfangreichen Literatur der frühen zwanziger Jahre bereits beschrieben war. Nolte stellt den deutschen Faschismus auch in seinen »Auswüchsen« als reine Antwort und Reaktion auf die bolschewistische Vernichtungsdrohung dar mit den schönen, fast heideggernden Worten: »War nicht der Archipel GULag ursprünglicher als Auschwitz?« Die Reaktualisierung des Antikommunismus kann man dann als die Kehrseite desselben Argumentes verstehen.

Ich bin kein Historiker, und ich bin dafür bekannt, daß ich starke Urteile und vielleicht auch Vorurteile habe; aber selbst wenn ich das zu meinen Ungunsten in Betracht ziehe, muß ich als ein täglicher Leser der *FAZ* nach der Lektüre dieses Artikels doch einen »qualitativen Sprung« in der Bearbeitung unseres Geschichtsbewußtseins registrieren. Das steht hinter meiner Frage: Wenn Historiker so durchsichtig, so funktionalistisch vorgehen, können sie eigentlich noch hoffen, damit unter den Bedingungen, unter denen wir heute leben, Erfolg zu haben?

Apologetische Tendenzen

> »Es ist ein auffallender Mangel der Literatur über den Nationalsozialismus, daß sie nicht weiß oder nicht wahrhaben will, in welchem Ausmaß all dasjenige, was die Nationalsozialisten später taten, mit alleiniger Ausnahme des technischen Vorgangs der Vergasung, in einer umfangreichen Literatur der frühen zwanziger Jahre bereits beschrieben war... Vollbrachten die Nationalsozialisten, vollbrachte Hitler eine ›asiatische‹ Tat vielleicht nur deshalb, weil sie sich und ihresgleichen als potentielle oder wirkliche Opfer einer ›asiatischen‹ Tat betrachteten?«
>
> Ernst Nolte in der
> *Frankfurter Allgemeinen Zeitung*
> vom 6. Juni 1986

I

[»Den Opfern der Kriege und der Gewaltherrschaft« – diese Inschrift auf dem Gedenkstein des Bonner Nordfriedhofs fordert vom Betrachter eine gewaltige Abstraktion. Am Jüngsten Tage tritt, so haben wir es als christlich Aufgewachsene gelernt, jeder von uns einzeln und unvertretbar, ohne den Schutz weltlicher Würden und Güter, vor das Angesicht eines richtenden Gottes, auf dessen Gnade wir gerade deshalb angewiesen sind, weil wir an der Gerechtigkeit seines Urteils nicht zweifeln. In Ansehung der Unverwechselbarkeit einer jeweils selber zu verantwortenden Lebensgeschichte dürfen alle, einer nach dem anderen, gleiche Behandlung erwarten. Aus dieser Abstraktion des Jüngsten Gerichtes ist auch jener begriffliche Zusammenhang von Individualität und Gleichheit hervorgegangen, auf den sich noch die universalistischen Grundsätze unserer Verfassung stützen, auch wenn diese auf die Fallibilität des menschlichen Urteilsvermögens zugeschnitten sind. Es sind daher tief verankerte moralische Intuitionen, an die Alfred Dregger appelliert hat, als er am 25. April 1986 vor dem Bundestag, in der Diskussion über die Errichtung eines neuen Bonner Mahnmals, entschieden der Auffassung widersprach, man müsse dabei doch zwischen den Tätern und den Opfern des NS-Regimes unterscheiden. Der Streit um die Frage, ob man eine öffentliche Gedenkstätte für Täter und Opfer unterschiedslos errichten dürfe, ob man Täter und Opfer im selben Kontext, gleichzeitig und am selben Ort ehren könne, ist ein Streit um die Zumutbarkeit einer Abstraktion. Diese hat in anderen Zusammenhängen durchaus ihr Recht. Ginge es tatsächlich darum, der *individuellen* Toten zu gedenken, wer wollte sich anmaßen, den unsäglichen Schmerz von Kindern, Frauen und Männern, deren für irdische Augen undurchdringliches Leiden, nach Täter- und Opfermerkmalen zu sortieren?

Nach dem Spektakel des 8. Mai 1985 ist es andererseits niemandem zu verdenken, wenn er bei der Forderung nach einer zentralen nationalen Gedenkstätte hellhörig wird. Die Abgeschiedenheit des vorhandenen »Provisoriums« auf dem Bonner Nordfriedhof wird nämlich nur von denen als ein Mangel empfunden, die die Erinnerung an die Opfer von Krieg und Gewaltherrschaft gerade nicht unter die individualisierende Abstraktion des Jüngsten Gerichtes stellen, sondern ein Andenken an kollektive Schicksale zelebrieren wollen. Das war schon die Optik der Denkmalskultur des 19. Jahrhunderts – die ritualisierte Erinnerung an den gemeinsam erstrittenen Triumph und die gemeinsam erlittene Niederlage der Nation sollte damals Zusammenhalt und Identität des Gemeinwesens stabilisieren helfen. Für diese Sicht gibt es auch heute noch gute Gründe. Der Tod an der Front oder in der Kriegsgefangenschaft, der Tod am Straßenrand oder im Luftschutzkeller war individuelles und geteiltes Schicksal zugleich; Verwundung, Vertreibung und Vergewaltigung, Hunger, Entbehrung und verzweifelte Einsamkeit einzelner sind repräsentativ für das, was viele unter ähnlichen Umständen durchstehen mußten – Soldaten, Kriegerwitwen, Ausgebombte, Flüchtlinge. Leiden ist immer konkretes Leiden; es läßt sich von seinem Kontext nicht lösen. Und aus diesem Kontext gemeinsamer leidvoller Erfahrungen bilden sich Traditionen. Trauer und Eingedenken, gemeinsam praktiziert, befestigen diese Traditionen.

Ein Andenken, das diesem legitimen Bedürfnis Ausdruck verschafft, steht unter der Prämisse eines im Guten wie im Bösen geteilten Lebenszusammenhanges. Alles hängt dann freilich von der Art der Lebensform ab. Je weniger Gemeinsamkeit ein solcher kollektiver Lebenszusammenhang im Inneren gewährt hat, je mehr er sich nach außen durch Usurpation und Zerstörung fremden Lebens erhalten hat, um so größer ist die Ambivalenz der Versöhnungslast, die der Trauerarbeit der nachfolgenden

Generationen aufgebürdet wird. Wäre nicht in einem solchen Fall die posthume Zwangsintegration der zu Lebzeiten Unterdrückten oder Ausgestoßenen in ein unterschiedsloses Erinnern nur die Fortsetzung der Usurpation – erpreßte Versöhnung? Dregger und seine Freunde können nicht beides haben wollen: eine traditionsbildende Erinnerung, die ja ihre sozialintegrative Kraft nur solange behält, wie sie sich auf kollektives Schicksal richtet – und die Abstraktion von eben diesem Schicksal, in das, unangesehen ihrer individuellen Unterschiede, viele als Täter und Mithaftende und einige eben als Widerstandleistende und Opfer verstrickt waren. Da helfen auch Herrn Dreggers seltsame Berechnungen nicht weiter, bei denen herauskommt, »daß fast 10 Millionen Angehörige unseres Volkes seit 1914 gewaltsam vom Leben zum Tode befördert wurden«[1] – das soll wohl heißen: das doppelte der von den Nazis ermordeten Juden, Zigeuner, Russen und Polen.

Man kann nicht zugleich eine moralische Abstraktion vornehmen und auf historischer Konkretion bestehen wollen. Wer gleichwohl darauf beharrt, Kollektivschicksale zu betrauern, ohne zwischen Tätern und Opfern zu unterscheiden, muß etwas anderes im Schilde führen. Wer morgens Bergen-Belsen absolviert und nachmittags in Bitburg ein Veteranentreffen veranstaltet, der hat ein anderes Konzept – eines, das nicht nur gestern den Hintergrund für den 8. Mai gebildet hat, sondern heute die Planung für neue Gedenkstätten und neue Museumsbauten inspiriert: eine fest in der atlantischen Wertegemeinschaft verankerte Bundesrepublik soll über die Identifikation mit einer zustimmungsfähigen Vergangenheit nationales Selbstvertrauen zurückgewinnen, ohne auf den Abweg eines nationalstaatlichen Neutralismus zu geraten. Allerdings erfordert dieser identifikatorische Zugriff auf die Nationalgeschichte[2] eine Flankierung durch zwei abschirmende Operationen. Erst einmal muß die Erinnerung an die negativ besetzten, identifikationshemmenden Abschnitte der jüngsten Geschichte planiert werden; sodann muß die stets virulente Furcht vor dem Bolschewismus im Zeichen von Freiheit oder Totalitarismus das richtige Feindbild wachhalten. Das Szenario von Bitburg enthielt genau diese drei Elemente. Der Mobilisierung des Geschichtsbewußtseins diente die Aura des Soldatenfriedhofs durch nationales Sentiment. Das Nebeneinander von Bitburg und Bergen-Belsen, von SS-Gräbern und KZ-Leichenhügeln nahm den NS-Verbrechen ihre Singularität; der Händedruck der Veteranengeneräle in Gegenwart des amerikanischen Präsidenten konnte uns schließlich bestätigen, daß wir im Kampf gegen den bolschewistischen Feind schon immer auf der richtigen Seite gestanden haben. Dregger und die *FAZ* haben in den Wochen vor Bitburg ein übriges getan, um uns diese Elemente zu erklären.[3]

Allerdings sind der bürokratischen Erzeugung von Sinn enge Grenzen gezogen; deshalb braucht man die Dienste der Historiker. Sie erhalten in der Ideologieplanung ihren festen Platz. Sie sollen das Geschichtsbewußtsein als Manövriermasse behandeln, um den Legitimationsbedarf des politischen Systems mit geeigneten positiven Vergangenheiten zu bedienen. Wie verhalten sich etablierte Zeithistoriker zu dieser Zumutung?]

II

Der Erlanger Historiker Michael Stürmer bevorzugt eine funktionale Deutung des historischen Bewußtseins: »In einem geschichtslosen Land (gewinnt derjenige) die Zukunft, wer die Erinnerung füllt, die Begriffe prägt und die Vergangenheit deutet.«[4] Im Sinne jenes neokonservativen Weltbildes von Joachim Ritter, das in den siebziger Jahren von seinen Schülern aktualisiert worden ist, stellt sich Stürmer Modernisierungsprozesse als eine Art Schadensabwicklung vor. Der einzelne muß für die unvermeidliche Entfremdung, die er als »Sozialmolekül« in der Umgebung einer versachlichten Industriegesellschaft erfährt, mit identitätsstiftendem Sinn kompensiert werden. Stürmer sorgt sich freilich weniger um die Identität des einzelnen als um die Integration des Gemeinwesens. Der Pluralismus der Werte und Interessen treibt, »wenn er keinen gemeinsamen Boden mehr findet... früher oder später zum sozialen Bürgerkrieg«.[5] Es bedarf »jener höheren Sinnstiftung, die nach der Religion bisher allein Nation und Patriotismus zu leisten imstande waren«.[6] Eine politisch verantwortungsbewußte Geschichtswissenschaft wird sich dem Ruf nicht versagen, ein Geschichtsbild herzustellen und zu verbreiten, das dem nationalen Konsens förderlich ist. Die Fachhistorie wird ohnehin »vorangetrieben durch kollektive, großenteils unbewußte Bedürfnisse nach innerweltlicher Sinnstiftung, (sie) muß diese aber« – und das empfindet Stürmer durchaus als ein Dilemma – »in wissenschaftlicher Methodik abarbeiten«. Deshalb macht sie sich auf »die Gratwanderung zwischen Sinnstiftung und Entmythologisierung«.[7]

Beobachten wir zunächst den Kölner Zeithistoriker Andreas Hillgruber bei seiner Gratwanderung. Ohne fachliche Kompetenz traue ich mich an die jüngste Arbeit dieses renommierten Zeithistorikers nur heran, weil diese in einer bibliophilen Ausgabe unter dem Titel *Zweierlei Untergang* bei Wolf Jobst Siedler erschienene Untersuchung offensichtlich an Laien adressiert ist. Ich notiere die Selbstbeobachtung eines Patienten, der sich einer revisionistischen Operation seines Geschichtsbewußtseins unterzieht.[8]

Im ersten Teil seiner Studie beschreibt Hillgruber den Zusammenbruch der deutschen Ostfront während des letzten Kriegsjahres 1944/45. Zu Beginn erörtert er das »Problem der Identifizierung«, die Frage nämlich, mit welcher der seinerzeit beteiligten Parteien der Autor sich in seiner Darstellung identifizieren solle. Da er die Situationsdeutung der Männer vom 20. Juli gegenüber der verantwortungsethischen Haltung der Befehlshaber, Landräte und Bürgermeister vor Ort als bloß »gesinnungsethisch« schon abgetan hat, bleiben drei Positionen. Die Durchhalteperspektive Hitlers lehnt Hillgruber als sozialdarwinistisch ab. Auch eine Identifikation mit den Siegern kommt nicht in Betracht. Diese Befreiungsperspektive sei nur für die Opfer der Konzentrationslager angebracht, nicht für die deutsche Nation im ganzen. Der Historiker hat nur eine Wahl: »Er muß sich mit dem konkreten Schicksal der deutschen Bevölkerung im Osten und mit den verzweifelten und opferreichen Anstrengungen des deutschen Ostheeres und der deutschen Marine im Ostseebereich identifizieren, die die Bevölkerung des deutschen Ostens vor den Racheorgien der Roten Armee, den Massenvergewaltigungen, den willkürlichen Morden und den wahllosen Deportationen zu bewahren und... den Fluchtweg nach Westen freizuhalten suchten.« (S. 24f.)

Man fragt sich verdutzt, warum der Historiker von 1986 nicht eine Retrospektive aus dem Abstand von vierzig Jahren versuchen, also seine eigene Perspektive einnehmen sollte, von der er sich ohnehin nicht lösen kann. Sie bietet zudem den hermeneutischen Vorzug, die selektiven Wahrnehmungen der unmittelbar beteiligten Parteien in Beziehung zu setzen, gegeneinander abzuwägen und aus dem Wissen des Nachgeborenen zu ergänzen. Aus diesem, man möchte fast sagen: »normalen« Blickwinkel will Hillgruber jedoch seine Darstellung nicht schreiben, denn dann kämen unvermeidlich Fragen der »Moral in Vernichtungskriegen« ins Spiel. Die aber sollen ausgeklammert bleiben. Hillgruber erinnert in diesem Zusammenhang an die Äußerung von Norbert Blüm, daß, solange nur die deutsche »Ostfront« hielt, auch die Vernichtungsaktionen in den Lagern weitergehen konnten. Diese Tatsache müßte einen langen Schatten auf jenes »Bild des Entsetzens von vergewaltigten und ermordeten Frauen und Kindern« werfen, das sich beispielsweise den deutschen Soldaten nach der Rückeroberung von Nemmersdorf geboten hat. Hillgruber geht es um eine Darstellung des Geschehens aus der Sicht der tapferen Soldaten, der verzweifelten Zivilbevölkerung, auch der »bewährten« Hoheitsträger der NSDAP; er will sich in die Erlebnisse der Kämpfer von damals hineinversetzen, die noch nicht von unseren retrospektiven Kenntnissen eingerahmt und entwertet sind. Diese Absicht erklärt das Prinzip der Zweiteilung der Studie in »Zusammenbruch im Osten« und »Judenvernichtung«, zwei Vorgänge, die Hillgruber gerade *nicht*, wie der Klappentext ankündigt, »in ihrer düsteren Verflechtung« zeigen will.

III

Nach dieser Operation, die man wohl dem von Stürmer erwähnten Dilemma sinnstiftender Historie zugute halten muß, zögert Hillgruber freilich nicht, das Wissen des nachgeborenen Historikers doch noch in Anspruch zu nehmen, um die im Vorwort eingeführte These zu belegen, daß die Vertreibung der Deutschen aus dem Osten keineswegs als eine »Antwort« auf die Verbrechen in den Konzentrationslagern zu verstehen sei. Anhand der alliierten Kriegsziele weist er nach, daß »für den Fall einer deutschen Niederlage zu keinem Zeitpunkt des Krieges Aussicht bestand, den größeren Teil der preußisch-deutschen Ostprovinzen zu retten« (S. 61); dabei erklärt er das Desinteresse der Westmächte mit einem »klischeehaften Preußenbild«. Daß die Machtstruktur des Reiches mit der besonders in Preußen konservierten Gesellschaftsstruktur zu tun haben könnte, kommt Hillgruber nicht in den Sinn. Von sozialwissenschaftlichen Informationen macht er keinen Gebrauch – sonst hätte er beispielsweise den Umstand, daß Ausschreitungen beim Einmarsch der Roten Armee nicht nur in Deutschland, sondern zuvor auch schon in Polen, Rumänien und Ungarn vorgekommen sind, wohl kaum auf die barbarischen »Kriegsvorstellungen« der stalinistischen Epoche zurückführen können. Wie dem auch sei, die Westmächte waren durch ihr illusionär wahrgenommenes Kriegsziel, die Zerschlagung Preußens, verblendet. Zu spät erkannten sie, wie durch den Vormarsch der Russen »ganz Europa der Verlierer der Katastrophe von 1945« wurde.

Vor dieser Szene nun kann Hillgruber das »Ringen« des deutschen Ostheeres ins rechte Licht rücken – den »verzweifelten Abwehrkampf um die Bewahrung der Eigenständigkeit der Großmachtstellung des Deutschen Reiches, das nach dem Willen der Alliierten zertrümmert werden sollte. Das deutsche Ostheer bot einen Schutzschirm vor einem jahrhundertealten deutschen Siedlungsraum, vor der Heimat von Millionen, die in einem Kernland des Deutschen Reiches ... wohnten.« (S. 63 f.) Die dramatische Darstellung schließt dann mit einer Wunschdeutung des 8. Mai 1945: Vierzig Jahre danach sei die Frage einer »Rekonstruktion der zerstörten europäischen Mitte ... so offen wie damals, als die Zeitgenossen als Mithandelnde oder Opfer Zeugen der Katastrophe des deutschen Ostens wurden« (S. 74). Die Moral der Geschichte liegt auf der Hand: Heute wenigstens stimmt die Allianz.

Im zweiten Teil behandelt Hillgruber auf 22 Seiten den Aspekt des Geschehens, den er aus dem »tragischen« Heldengeschehen bis dahin ausgeblendet hatte. Schon der Untertitel des Buches signalisiert eine veränderte Perspektive. Der in der Rhetorik von Kriegsheftchen beschworenen »Zerschlagung des Deutschen Reiches« (die anscheinend nur an der »Ostfront« stattgefunden hat) steht das nüchtern registrierte »Ende des europäischen Judentums« gegenüber. Die »Zerschlagung« verlangt einen aggressiven Gegner, ein »Ende« stellt sich gleichsam von selber ein. Während dort »die Vernichtung ganzer Armeen neben dem Opfermut einzelner« stand, ist hier von den »stationären Nachfolgeorganisationen« der Einsatzkommandos die Rede. Während dort »manche Unbekannte in der hereinbrechenden Katastrophe über sich hinauswuchsen«, werden hier die Gaskammern als »effektivere Mittel« der Liquidation umschrieben. Dort die nicht-revidierten, unausgedünsteten Klischees eines aus Jugendtagen mitgeführten Jargons, hier die bürokratisch gefrorene Sprache. Der Historiker wechselt nicht nur die Perspektive der Darstellung. Nun geht es um den Nachweis, daß »der Mord an den Juden ausschließlich eine Konsequenz aus der radikalen Rassendoktrin« (S. 9) gewesen sei.

Stürmer interessierte sich für die Frage, »wie weit es der Krieg Hitlers gewesen war und wie weit der Krieg der Deutschen«.[9] Hillgruber stellt die analoge Frage im Hinblick auf die Judenvernichtung. Er stellt hypothetische Überlegungen an, wie das Leben der Juden ausgesehen hätte, wenn nicht die Nazis, sondern Deutschnationale und Stahlhelmer 1933 an die Macht gekommen wären. Die Nürnberger Gesetze wären ebenso erlassen worden wie alle übrigen Maßnahmen, die den Juden bis 1938 »ein Sonderbewußtsein aufgezwungen« haben; denn diese standen »mit den Empfindungen eines großen Teils der Gesellschaft in Einklang« (S. 87). Hillgruber bezweifelt aber, daß zwischen 1938 und 1941 bereits *alle* Funktionsträger eine forcierte Auswanderungspolitik als die beste Lösung der Judenfrage angesehen hätten. Immerhin seien bis dahin zwei Drittel der deutschen Juden »ins Ausland gelangt«. Was schließlich, seit 1941, die Endlösung anbetrifft, es war Hitler allein, der sie von Anbeginn ins Auge gefaßt hatte. Hitler wollte die physische Vernichtung aller Juden, »weil nur durch eine solche ›rassische Revolution‹ der angestrebten ›Weltmacht-Position‹ seines Reiches Dauerhaftigkeit verliehen werden konnte« (S. 89). Da dem letzten Wort der konjunktivische Umlaut fehlt, weiß man nicht, ob sich der Historiker auch diesmal die Perspektive des Beteiligten zu eigen macht.

Jedenfalls legt Hillgruber einen scharfen Schnitt zwischen die Euthanasieaktion, der schon 100 000 Geisteskranke zum Opfer fielen, und die Judenvernichtung selbst. Vor dem Hintergrund einer sozialdarwinistischen Humangenetik habe die Tötung »lebensunwerten Lebens« in der Bevölkerung weithin Zustimmung gefunden. Dagegen sei Hitler mit der Idee der »Endlösung« sogar in der engsten Führungsclique, »einschließlich Görings, Himmlers und Heydrichs«, isoliert gewesen. Nachdem Hitler so als der alleinverantwortliche Urheber für Idee und Entschluß identifiziert worden ist, harrt nur noch die Durchführung einer Erklärung – aber auch die erschreckende Tatsache, daß die Masse der Bevölkerung – wie Hillgruber durchaus annimmt – bei alledem stillgehalten hat.

Freilich wäre das Ziel der mühsamen Revision gefährdet, wenn dieses Phänomen am Ende doch noch einer moralischen Beurteilung ausgeliefert werden müßte. An dieser Stelle bricht deshalb der narrativ verfahrende Historiker, der von sozialwissenschaftlichen Erklärungsversuchen nichts hält, ins Anthropologisch-Allgemeine aus. Nach seiner Meinung weist »die Hinnahme des zumindest dunkel geahnten grauenhaften Geschehens durch die Masse der Bevölkerung ... über die historische Einmaligkeit des Vorgangs hinaus« (S. 98). Fest in der Tradition der deutschen Mandarine stehend, ist Hillgruber übrigens am tiefsten erschreckt über den hohen Anteil beteiligter Akademiker – als gäbe es nicht auch dafür ganz plausible Erklärungen. Kurzum, daß eine zivilisierte Bevölkerung das Ungeheuerliche geschehen ließ, ist ein Phänomen, das Hillgruber aus der Fachkompetenz des überforderten Historikers entläßt – und unverbindlich in die Dimension des Allgemeinmenschlichen abschiebt.

IV

Hillgrubers Bonner Kollege Klaus Hildebrand empfiehlt in der *Historischen Zeitschrift* (Bd. 242, 1986, S. 465 f.) eine Arbeit von Ernst Nolte als »wegweisend«, weil sie das Verdienst habe, der Geschichte des »Dritten Reiches« das »scheinbar Einzigartige« zu nehmen und »die Vernichtungskapazität der Weltanschauung und des Regimes« in die gesamttotalitäre Entwicklung historisierend einzuordnen. Nolte, der schon mit dem Buch über den *Faschismus in seiner Epoche* (1963) weithin Anerkennung gefunden hatte, ist in der Tat aus anderem Holz geschnitzt als Hillgruber.

In seinem Beitrag *Zwischen Mythos und Revisionismus*[10] begründet er heute die Notwendigkeit einer Revision damit, daß die Geschichte des »Dritten Reiches« weitgehend von den Siegern geschrieben und zu einem »negativen Mythos« gemacht worden sei. Um das zu illustrieren, lädt Nolte zu dem geschmackvollen Gedankenexperiment ein, sich doch einmal das Israelbild einer siegreichen PLO *nach* der vollständigen Vernichtung Israels auszumalen: »Dann würde sich für Jahrzehnte und möglicherweise für Jahrhunderte niemand trauen, die bewegenden Ursprünge des Zionismus auf den Geist des Widerstandes gegen den europäischen Antisemitismus ... zurückzuführen.« (S. 21) Selbst die Totalitarismustheorie der fünfziger Jahre habe keine veränderte Perspektive angeboten, sondern nur dazu geführt, in das negative Bild eben auch die Sowjetunion einzubeziehen. Ein Konzept, das derart vom Gegensatz zum demokratischen Verfassungsstaat lebt, genügt Nolte noch nicht; ihm geht es um die Dialektik wechselseitiger Vernichtungsdrohungen. Lange vor Auschwitz habe Hitler, meint er, gute Gründe gehabt für seine Überzeugung, daß der Gegner auch ihn habe vernichten wollen – »annihilate« heißt der Ausdruck im englischen Original. Als Beleg gilt ihm die »Kriegserklärung«, die Chaim Weizmann im September 1939 für den jüdischen Weltkongreß abgegeben und die Hitler dazu *berechtigt* habe, die deutschen Juden als Kriegsgefangene zu behandeln – und zu deportieren (S. 27f.). Man hatte schon vor einigen Wochen in der *Zeit* (allerdings ohne Namensnennung) lesen können, daß Nolte dieses abenteuerliche Argument einem jüdischen Gast, seinem Fachkollegen Saul Friedländer aus Tel Aviv, zum Abendessen serviert hatte – jetzt lese ich es schwarz auf weiß.

Nolte ist nicht der betulich-konservative Erzähler, der sich mit dem »Identifikationsproblem« herumschlägt. Er löst Stürmers Dilemma zwischen Sinnstiftung und Wissenschaft durch forsche Dezision und wählt als Bezugspunkt seiner Darstellung den Terror des Pol-Pot-Regimes in Kambodscha. Von hier aus rekonstruiert er eine Vorgeschichte, die über den »Gulag«, die Vertreibung der Kulaken durch Stalin und die bolschewistische Revolution zurückreicht bis zu Babeuf, den Frühsozialisten und den englischen Agrarreformern des frühen 19. Jahrhunderts – eine Linie des Aufstandes gegen die kulturelle und gesellschaftliche Modernisierung, getrieben von der illusionären Sehnsucht nach der Wiederherstellung einer überschaubaren, autarken Welt. In diesem Kontext des Schreckens erscheint dann die Judenvernichtung nur als das bedauerliche Ergebnis einer immerhin verständlichen Reaktion auf das, was Hitler als Vernichtungsdrohung empfinden mußte: »Die sogenannte Vernichtung der Juden während des Dritten Reiches war eine Reaktion oder eine verzerrte Kopie, aber nicht ein erstmaliger Vorgang oder ein Original.«

Nolte bemüht sich in einem anderen Aufsatz, den philosophischen Hintergrund seiner »Trilogie zur Geschichte moderner Ideologien« aufzuklären.[11] Dieses Werk steht hier nicht zur

Diskussion. An dem, was Nolte, der Heideggerschüler, seine »philosophische Geschichtsschreibung« nennt, interessiert mich nur das »Philosophische«.

Zu Beginn der fünfziger Jahre wurde in der philosophischen Anthropologie über die Verschränkung von »Weltoffenheit« und »Umweltverhaftung« des Menschen gestritten – eine Diskussion, die zwischen A. Gehlen, H. Plessner, K. Lorenz und E. Rothacker ausgetragen worden ist. Daran erinnert mich Noltes eigentümlicher Gebrauch des Heideggerschen Begriffs der »Transzendenz«. Mit diesem Ausdruck verschiebt er nämlich seit 1963 die große Wende, jenen historischen Vorgang des Aufbrechens einer traditionalen Lebenswelt beim Übergang zur Moderne, ins Anthropologisch-Ursprüngliche. In dieser Tiefendimension, in der alle Katzen grau sind, wirbt er dann um Verständnis für die antimodernistischen Impulse, die sich gegen »eine vorbehaltlose Affirmation der praktischen Transzendenz« richten. Darunter versteht Nolte die angeblich ontologisch begründete »Einheit von Weltwirtschaft, Technik, Wissenschaft und Emanzipation«. Das alles fügt sich trefflich in heute dominierende Stimmungslagen – und in den Reigen der kalifornischen Weltbilder, die daraus hervorsprießen. Ärgerlicher ist die Entdifferenzierung, die aus dieser Sicht »Marx und Maurras, Engels und Hitler bei aller Hervorhebung ihrer Gegensätze dennoch zu verwandten Figuren« macht. Erst wenn sich Marxismus und Faschismus gleichermaßen als Versuche zu erkennen geben, eine Antwort zu geben »auf die beängstigenden Realitäten der Moderne«, kann auch die wahre Intention des Nationalsozialismus von dessen unseliger Praxis fein säuberlich geschieden werden: »Die ›Untat‹ war nicht in der letzten Intention beschlossen, sondern in der Schuldzuschreibung, die sich gegen eine Menschengruppe richtete, welche selbst durch den Emanzipationsprozeß der liberalen Gesellschaft so schwer betroffen war, daß sie sich in bedeutenden Repräsentanten für tödlich gefährdet erklärte.« (S. 281)

Nun könnte man die skurrile Hintergrundphilosophie eines bedeutend-exzentrischen Geistes auf sich beruhen lassen, wenn nicht neokonservative Zeithistoriker sich bemüßigt fühlten, sich genau dieser Spielart von Revisionismus zu bedienen.

Als Beitrag zu den diesjährigen Römerberggesprächen, die mit Vorträgen von Hans und Wolfgang Mommsen auch das Thema der »Vergangenheit, die nicht vergehen will« behandelten, bescherte uns das Feuilleton der *FAZ* vom 6. Juni 1986 einen militanten Artikel von Ernst Nolte – übrigens unter einem scheinheiligen Vorwand (das sage ich in Kenntnis des Briefwechsels, den der angeblich ausgeladene Nolte mit den Veranstaltern geführt hat). Auch Stürmer solidarisierte sich bei dieser Gelegenheit mit dem Zeitungsaufsatz, in dem Nolte die Singularität der Judenvernichtung auf »den technischen Vorgang der Vergasung« reduziert und mit einem eher abstrusen Beispiel aus dem russischen Bürgerkrieg seine These belegt, daß der Archipel Gulag »ursprünglicher« sei als Auschwitz. Dem Film *Shoah* von Lanzmann weiß der Autor nur zu entnehmen, »daß auch die SS-Mannschaften der Todeslager auf ihre Art Opfer sein mochten und daß es andererseits unter den polnischen Opfern des Nationalsozialismus virulenten Antisemitismus gab«. Diese unappetitlichen Kostproben zeigen, daß Nolte einen Fassbinder bei weitem in den Schatten stellt. Wenn die *FAZ* mit Recht gegen die in Frankfurt geplante Aufführung dieses Stücks zu Felde gezogen ist, warum dann dies?

Ich kann mir das nur so erklären, daß Nolte nicht nur jenes Dilemma zwischen Sinnstiftung und Wissenschaft eleganter umschifft als andere, sondern für ein weiteres Dilemma eine Lösung parat hat. Dieses Dilemma beschreibt Stürmer mit dem Satz: »In der Wirklichkeit des geteilten Deutschlands müssen die Deutschen ihre Identität finden, die im Nationalstaat nicht mehr zu begründen ist, ohne Nation aber auch nicht.«[12] Die Ideologieplaner wollen über eine Wiederbelebung des Nationalbewußtseins Konsens beschaffen, gleichzeitig müssen sie aber die nationalstaatlichen Feindbilder aus dem Bereich der Nato verbannen. Für diese Manipulation bietet Noltes Theorie einen großen Vorzug. Er schlägt zwei Fliegen mit einer Klappe: Die Nazi-Verbrechen verlieren ihre Singularität dadurch, daß sie als Antwort auf (heute fortdauernde) bolschewistische Vernichtungsdrohungen mindestens verständlich gemacht werden. Auschwitz schrumpft auf das Format einer technischen Innovation und erklärt sich aus der »asiatischen« Bedrohung durch einen Feind, der immer noch vor unseren Toren steht.

V

Wenn man sich die Zusammensetzung der Kommissionen ansieht, die die Konzeptionen für die von der Bundesregierung geplanten Museen, das Deutsche Historische Museum in Berlin und das Haus der Geschichte der Bundesrepublik in Bonn, ausgearbeitet haben, kann man sich nicht ganz des Eindrucks erwehren, daß auch Gedanken des Neuen Revisionismus in die Gestalt von Exponaten, von volkspädagogisch wirksamen Ausstellungsgegenständen umgesetzt werden sollen. Die vorgelegten Gutachten haben zwar ein pluralistisches Gesicht. Aber mit neuen Museen dürfte es sich kaum anders verhalten als mit neuen Max-Planck-Instituten: Die programmatischen Denkschriften, die einer Neugründung regelmäßig vorangehen, haben mit dem, was die ins Amt berufenen Direktoren dann daraus machen, nicht mehr viel zu tun. Das schwant auch Jürgen Kocka, dem liberalen Alibi-Mitglied in der Berliner Sachverständigenkommission: »Am Ende wird entscheidend sein, welche Personen die Sache in die Hand nehmen ... auch hier steckt der Teufel im Detail.«[13]

Wer wollte sich schon gegen ernstgemeinte Bemühungen stemmen, das historische Bewußtsein der Bevölkerung in der Bundesrepublik zu stärken. Es gibt auch gute Gründe für eine historisierende Distanzierung von einer Vergangenheit, die nicht vergehen will. Martin Broszat hat sie überzeugend vorgetragen. Jene komplexen Zusammenhänge zwischen Kriminalität und doppelbödiger Normalität des NS-Alltags, zwischen Zerstörung und vitaler Leistungskraft, zwischen verheerender Systemperspektive und unauffällig-ambivalenter Nahoptik vor Ort könnten eine heilsam objektivierende Vergegenwärtigung durchaus vertragen. Die kurzatmig pädagogisierende Vereinnahmung einer kurzschlüssig moralisierten Vergangenheit von Vätern und Großvätern könnte dann dem distanzierenden Verstehen weichen. Die behutsame Differenzierung zwischen dem Verstehen und dem Verurteilen einer schockierenden Vergangenheit könnte auch die hypnotische Lähmung lösen helfen. Allein, diese Art von Historisierung würde sich eben nicht wie der von Hildebrand und Stürmer empfohlene Revisionismus eines Hillgruber oder Nolte von dem Impuls leiten lassen, die Hypotheken einer glücklich entmoralisierten Vergangenheit *abzuschütteln*. Ich will niemandem böse Absichten unterstellen. Es gibt ein einfaches Kriterium, an dem sich die Geister scheiden: Die einen gehen davon aus, daß die Arbeit des distanzierenden Verstehens die Kraft einer reflexiven Erinnerung freisetzt und damit den Spielraum für einen autonomen Umgang mit ambivalenten Überlieferungen erweitert; die anderen möchten eine revisionistische Historie in Dienst nehmen für die nationalgeschichtliche Aufmöbelung einer konventionellen Identität.

Vielleicht ist diese Formulierung noch nicht eindeutig genug. Wer auf die Wiederbelebung einer in Nationalbewußtsein naturwüchsig verankerten Identität hinauswill, wer sich von funktionalen Imperativen der Berechenbarkeit, der Konsensbeschaffung, der sozialen Integration durch Sinnstiftung leiten läßt, der muß den aufklärenden Effekt der Geschichtsschreibung scheuen und einen breitenwirksamen Pluralismus der Geschichtsdeutungen ablehnen. Man wird Michael Stürmer kaum Unrecht tun, wenn man seine Leitartikel in diesem Sinne versteht: »Beim Betrachten der Deutschen vis-à-vis ihrer Geschichte stellt sich unseren Nachbarn die Frage, wohin das alles treibt. Die Bundesrepublik ... ist Mittelstück im europäischen Verteidigungsbogen des atlantischen Systems. Doch es zeigt sich jetzt, daß jede der heute in Deutschland lebenden Generationen unterschiedliche, ja gegensätzliche Bilder von Vergangenheit und Zukunft mit sich trägt ... Die Suche nach der verlorenen Geschichte ist nicht abstraktes Bildungsstreben: sie ist moralisch legitim und politisch notwendig. Denn es geht um die innere Kontinuität der deutschen Republik und ihre außenpolitische Berechenbarkeit.«[14] Stürmer plädiert für ein *vereinheitlichtes* Geschichtsbild, das anstelle der ins Private abgedrifteten religiösen Glaubensmächte Identität und gesellschaftliche Integration sichern kann.

Geschichtsbewußtsein als Religionsersatz – ist die Geschichtsschreibung mit diesem alten Traum des Historismus nicht doch etwas überfordert? Gewiß, die deutschen Historiker können auf eine wahrlich staatstragende Tradition ihrer Zunft zurückblicken. Hans-Ulrich Wehler hat kürzlich noch einmal an den ideologischen Beitrag zur Stabilisierung des kleindeutschen Reiches und zur inneren Ausgrenzung der »Reichsfeinde« erinnert. Bis in die späten fünfziger Jahre unseres Jahrhunderts herrschte jene Mentalität, die sich seit dem Scheitern der Revolution von 1848/49 und nach der Niederlage der liberalen Geschichtsschreibung vom Typ Gervinus ausgebildet hatte: »Liberale, aufgeklärte Historiker konnte man fortan fast hundert Jahre lang nur mehr isoliert oder in kleinen Randgruppen finden. Die Mehrheit der Zunft dachte und argumentierte reichsnational, staatsbewußt, machtpolitisch.«[15] Daß sich nach 1945, jedenfalls mit der Generation der nach 1945 ausgebildeten jüngeren Historiker, nicht nur ein anderer Geist, sondern ein Pluralismus von Lesarten und methodischen Ansätzen durchsetzte, ist aber keineswegs nur eine Panne, die sich schlicht reparieren ließe. Vielmehr war die alte Mentalität nur der fachspezifische Ausdruck eines Mandarinenbewußtseins, das die Nazi-Zeit aus guten Gründen nicht überlebt hat: Durch erwiesene Ohnmacht gegen oder gar Komplizenschaft mit dem Nazi-Regime war sie vor aller Augen ihrer Substanzlosigkeit überführt worden. Dieser geschichtlich erzwungene Reflexionsschub hat nicht nur die ideologischen Prämissen der deutschen Geschichtsschreibung berührt; er hat auch das methodische Bewußtsein für die Kontextabhängigkeit jeder Geschichtsschreibung verschärft.

Es ist jedoch ein Mißverständnis dieser hermeneutischen Einsicht, wenn die Revisionisten heute davon ausgehen, daß sie die Gegenwart aus Scheinwerfern beliebig rekonstruierter Vorgeschichten anstrahlen und aus diesen Optionen ein besonders geeignetes Geschichtsbild auswählen könnten. Das geschärfte methodische Bewußtsein bedeutet vielmehr das Ende jedes geschlossenen, gar von Regierungshistorikern verordneten Geschichtsbildes. Der unvermeidliche, keineswegs unkontrollierte, sondern durchsichtig gemachte Pluralismus der Lesarten spiegelt nur die Struktur offener Gesellschaften. Er eröffnet erst die Chance, die eigenen identitätsbildenden Überlieferungen in ihren Ambivalenzen deutlich zu machen. Genau dies ist notwendig für eine kritische Aneignung mehrdeutiger Traditionen, das heißt für die Ausbildung eines Geschichtsbewußtseins, das mit geschlossenen und sekundär naturwüchsigen Geschichtsbildern ebenso unvereinbar ist wie mit jeder Gestalt einer konventionellen, nämlich einhellig und vorreflexiv *geteilten* Identität.

Was heute als »Verlust der Geschichte« beklagt wird, hat ja nicht nur den Aspekt des Wegsteckens und des Verdrängens, nicht nur den des Fixiertseins an eine belastete und darum ins Stocken geratene Vergangenheit. Wenn unter den Jüngeren die nationalen Symbole ihre Prägekraft verloren haben, wenn die naiven Identifikationen mit der eigenen Herkunft einem eher tentativen Umgang mit Geschichte gewichen sind, wenn Diskontinuitäten stärker empfunden, Kontinuitäten nicht um jeden Preis gefeiert werden, wenn nationaler Stolz und kollektives Selbstwertgefühl durch den Filter universalistischer Wertorientierungen hindurchgetrieben werden – in dem Maße, wie das wirklich zutrifft, mehren sich die Anzeichen für die Ausbildung einer postkonventionellen Identität. Diese Anzeichen werden aus Allensbach mit Kassandrarufen bedacht; wenn sie nicht trügen, verraten sie nur eins: daß wir die Chance, die die moralische Katastrophe auch bedeuten konnte, nicht ganz verspielt haben.

Die vorbehaltlose Öffnung der Bundesrepublik gegenüber der politischen Kultur des Westens ist die große intellektuelle Leistung unserer Nachkriegszeit, auf die gerade meine Generation stolz sein könnte. Stabilisiert wird das Ergebnis nicht durch eine deutsch-national eingefärbte Natophilosophie. Jene Öffnung ist ja vollzogen worden durch Überwindung genau der Ideologie der Mitte, die unsere Revisionisten mit ihrem geopolitischen Tamtam von »der alten europäischen Mittellage der Deutschen« (Stürmer) und »der Rekonstruktion der zerstörten europäischen Mitte« (Hillgruber) wieder aufwärmen. Der einzige Patriotismus, der uns dem Westen nicht entfremdet, ist ein Verfassungspatriotismus. Eine in Überzeugungen verankerte Bindung an universalistische Verfassungsprinzipien hat sich leider in der Kulturnation der Deutschen erst nach – und durch – Auschwitz bilden können. Wer uns mit einer Floskel wie »Schuldbesessenheit« (Stürmer und Oppenheimer) die Schamröte über dieses Faktum austreiben will, wer die Deutschen zu einer konventionellen Form ihrer nationalen Identität zurückrufen will, zerstört die einzige verläßliche Basis unserer Bindung an den Westen.

Anmerkungen

1 A. Dregger, *Nicht in Opfer und Täter einteilen*, in: *Das Parlament*, 17./24. Mai 1986, S. 21.

2 K. E. Jeismann, *Identität statt Emanzipation. Zum Geschichtsbewußtsein in der Bundesrepublik*, in: *Beilage zu Das Parlament* B 20-21 1986, S. 3 ff.

3 J. Habermas, *Entsorgung der Vergangenheit*, in: ders., *Die Neue Unübersichtlichkeit*, Franfurt/Main 1985, S. 261 ff.

4 M. Stürmer, *Suche nach der verlorenen Erinnerung*, in: *Das Parlament*, 17./24. Mai 1986, S. 1.
5 M. Stürmer, *Kein Eigentum der Deutschen: die deutsche Frage*, in: W. Weidenfels (Hg.), *Die Identität der Deutschen*, Bonn 1983, S. 84.
6 M. Stürmer, *Kein Eigentum* (s. Anm. 5), S. 86.
7 M. Stürmer, *Dissonanzen des Fortschritts*, München 1986, S. 12.
8 A. Hillgruber, *Zweierlei Untergang*. Corso bei Siedler (1986), Seitenangaben im Text beziehen sich auf diese Ausgabe.
9 M. Stürmer, *Dissonanzen* (s. Anm. 7), S. 190.
10 E. Nolte, *Between Myth and Revisionism. The Third Reich in the Perspective of the 1980s*, in: H. W. Koch, *Aspects of the Third Reich*, London 1985, S. 16 ff., Seitenangaben im Text beziehen sich auf diesen Beitrag.
11 E. Nolte, *Philosophische Geschichtsschreibung heute?*, in: *Historische Zeitschrift*, 242, 1986, S. 265 ff.
12 M. Stürmer, *Kein Eigentum* (s. Anm. 5), S. 98; vgl. auch ders., *Dissonanzen* (s. Anm. 7), S. 328 ff.
13 J. Kocka, *Ein Jahrhundertunternehmen*, in: *Das Parlament*, 17./24. Mai 1986, S. 18.
14 *FAZ* vom 25. April 1986.
15 H.-U. Wehler, *Den rationalen Argumenten standhalten*, in: *Das Parlament*, 17./24. Mai 1986, S. 2; vgl. auch ders., *Geschichtswissenschaft heute*, in: J. Habermas (Hg.), *Stichworte zur »Geistigen Situation der Zeit«*, Frankfurt/Main 1979, S. 709 ff.

Vom öffentlichen Gebrauch der Historie

Wer Ernst Noltes besonnenen Beitrag in der letzten Nummer der *Zeit* gelesen und die emotionale Diskussion in der *Frankfurter Allgemeinen Zeitung* nicht verfolgt hat, muß den Eindruck gewinnen, daß hier um historische Details gestritten wird. In Wirklichkeit geht es um jene politische Umsetzung des in der Zeitgeschichtsschreibung aufgekommenen Revisionismus, die von Politikern der Wenderegierung ungeduldig angemahnt wird. Deshalb rückt Hans Mommsen die Kontroverse in den Zusammenhang einer »Umschichtung des historisch-politischen Denkens«; mit seinem Aufsatz im September/Oktoberheft des *Merkur* hat er den bisher ausführlichsten und substantiellsten Beitrag geliefert. Im Zentrum steht die Frage, *auf welche Weise* die NS-Periode im öffentlichen Bewußtsein historisch verarbeitet wird. Der größer werdende Abstand macht eine »Historisierung« nötig – so oder so.

Heute wachsen schon die Enkel derer heran, die am Ende des Zweiten Weltkrieges zu jung waren, um persönlich Schuld auf sich laden zu können. Dem entspricht freilich kein distanziertes Erinnern. Die Zeitgeschichte bleibt auf die Periode von 1933 bis 1945 fixiert. Sie tritt nicht aus dem Horizont der eigenen Lebensgeschichte heraus; sie bleibt verknäuelt mit Empfindlichkeiten und Reaktionen, die gewiß nach Jahrgängen und politischen Einstellungen über ein breites Spektrum streuen, aber immer denselben Ausgangspunkt haben: die Bilder von jener Rampe. Dieses traumatische Nicht-vergehen-Wollen eines in unsere nationale Geschichte eingebrannten moralischen Imperfekts ist erst in den achtziger Jahren breitenwirksam ins Bewußtsein getreten: beim 50. Jahrestag des 30. Januar 1933, bei den vierzigsten Jahrestagen des 20. Juli 1944 und des 8. Mai 1945. Und doch brechen Sperren auf, die noch bis gestern gehalten hatten.

Das Gedächtnis der Opfer und der Täter

In letzter Zeit häufen sich die Memoiren derer, die über das Erlittene jahrzehntelang nicht sprechen konnten: Ich denke an

Cordelia Edvardson, die Tochter der Langgässer, oder an Lisa Fitko. Wir haben den beinahe körperlichen Vorgang der Erinnerungsarbeit an Szenen nachvollziehen können, in denen ein unerbittlicher Claude Lanzmann den Opfern von Auschwitz und Maidanek die Zunge löst. Bei jenem Friseur wird der starr und stumm gewordene Schrecken zum ersten Mal in Worte gefaßt – und man weiß nicht recht, ob man noch an die lösende Kraft des Wortes glauben soll. Auch auf der anderen Seite strömen wieder Worte aus einem Munde, der lange verschlossen gehalten wurde – Worte, die aus guten Gründen, jedenfalls in der Öffentlichkeit, seit 1945 nicht mehr gebraucht worden waren. Das kollektive Gedächtnis erzeugt ungerührt auf der Täterseite andere Phänomene als auf der Seite der Opfer. Saul Friedländer hat beschrieben, wie sich in den letzten Jahren eine Schere öffnet zwischen dem Wunsch auf deutscher Seite, die Vergangenheit zu normalisieren, und der noch intensiver werdenden Beschäftigung mit dem Holocaust auf jüdischer Seite. Was uns betrifft, kann ein Blick in die Presse der letzten Wochen diese Diagnose nur bestätigen.

Im Frankfurter Prozeß gegen zwei an der »Aktion Gnadentod« handgreiflich beteiligte Ärzte begründete der Verteidiger seinen Befangenheitsantrag gegen einen Göttinger Psychiater mit dem Argument, der Sachverständige habe einen jüdischen Großvater und sei möglicherweise von Emotionen belastet. In derselben Woche äußerte Alfred Dregger im Bundestag eine ähnliche Besorgnis: »Besorgt machen uns Geschichtslosigkeit und Rücksichtslosigkeit der eigenen Nation gegenüber. Ohne einen elementaren Patriotismus, der anderen Völkern selbstverständlich ist, wird auch unser Volk nicht überleben können. Wer die sogenannte ›Vergangenheitsbewältigung‹, die gewiß notwendig war, mißbraucht, um unser Volk zukunftsunfähig zu machen, muß auf unseren Widerspruch stoßen.« Der Anwalt führt ein rassistisches Argument in einen Strafprozeß ein, der Fraktionsvorsitzende fordert die forsche Relativierung der belasteten NS-Vergangenheit. Ist das zufällige Zusammentreffen beider Äußerungen so zufällig? Oder verbreitet sich in dieser Republik allmählich ein geistiges Klima, in dem das einfach zusammenpaßt? Da gibt es die spektakuläre Forderung des bekannten Mäzens, die Kunst der Nazi-Zeit nicht länger unter »Zensur« zu stellen. Da zieht der Bundeskanzler mit seinem historischen Feinsinn Parallelen zwischen Gorbatschow und Goebbels.

Im Szenario von Bitburg waren schon drei Momente zur Geltung gekommen: Die Aura des Soldatenfriedhofs sollte nationales Sentiment und dadurch »Geschichtsbewußtsein« wecken; das Nebeneinander der Leichenhügel im KZ und der SS-Gräber auf dem Ehrenfriedhof, morgens Bergen-Belsen und nachmittags Bitburg, bestritt implizit den NS-Verbrechern ihre Singularität; und der Händedruck der Veteranengeneräle in Gegenwart des amerikanischen Präsidenten war schließlich eine Bestätigung dafür, daß wir im Kampf gegen den Bolschewismus immer schon auf der richtigen Seite gestanden haben. Inzwischen haben wir quälende, eher schwärende denn klärende Diskussionen erlebt: über die geplanten historischen Museen, über die Inszenierung des Fassbinder-Stücks, über ein nationales Mahnmal, das so überflüssig ist wie ein Kropf. Dennoch beklagt sich Ernst Nolte darüber, daß Bitburg die Schleusen noch nicht weit genug geöffnet, die Dynamik der Aufrechnung noch nicht ausreichend enthemmt hat: »Die Furcht vor der Anklage der ›Aufrechnung‹ und vor Vergleichen überhaupt ließ die einfache Frage nicht zu, was es bedeutet haben würde, wenn der damalige Bundeskanzler sich 1953 geweigert hätte, den Soldatenfriedhof von Arlington zu besuchen, und zwar mit der Begründung, dort seien auch Männer begraben, die an den Terrorangriffen gegen die deutsche Zivilbevölkerung teilgenommen hätten.« (*FAZ*, 6. Juni 1986) Wer die Präsuppositionen dieses merkwürdig konstruierten Beispiels durchdenkt, wird die Unbefangenheit bewundern, mit der ein international renommierter deutscher Historiker Auschwitz gegen Dresden aufrechnet.

Diese Vermischung des noch Sagbaren mit dem Unsäglichen reagiert wohl auf ein Bedürfnis, das sich mit wachsendem historischen Abstand verstärkt. Unverkennbar ist jedenfalls ein Bedürfnis, welches die Autoren der vom Bayerischen Fernsehen betreuten Serie über *Die Deutschen im Zweiten Weltkrieg* bei ihren älteren Zuschauern vermutet haben: der Wunsch, das subjektive Erleben der Kriegszeit aus jenem Rahmen herauszulösen, der retrospektiv alles mit einer anderen Bedeutung versehen mußte. Dieser Wunsch nach uneingerahmten Erinnerungen aus der Veteranenperspektive läßt sich nun auch durch die Lektüre von Andreas Hillgrubers Darstellung des Geschehens an der Ostfront 1944/45 befriedigen. Dem Autor stellt sich das für einen Historiker ungewöhnliche »Problem der Identifizierung« nur deshalb, weil er die Erlebnisperspektive der kämpfenden Truppe und der betroffenen Zivilbevölkerung einnehmen möchte. Es mag ja zutreffen, daß Hillgrubers Gesamtwerk einen anderen Eindruck vermittelt. Aber das bei Siedler verlegte Büchlein (*Zweierlei Untergang*) ist nicht für Leser bestimmt, die fachliche Kenntnisse mitbringen, so daß sie eine kontrastierende Betrachtung der »Zerschlagung des Deutschen Reiches« und des »Ende(s) des europäischen Judentums« schon in den richtigen Kontext rücken könnten.

Die Beispiele zeigen, daß die Geschichte, trotz allem, nicht stehenbleibt. Die Sterbeordnung greift auch ins beschädigte Leben ein. Unsere Situation hat sich, im Vergleich zu der vor vierzig Jahren, als Karl Jaspers seinen berühmten Traktat über *Die Schuldfrage* schrieb, gründlich verändert. Damals ging es um die Unterscheidung zwischen der persönlichen Schuld der Täter und der kollektiven Haftung derer, die es – aus wie immer verständlichen Gründen – unterlassen hatten, etwas zu tun. Diese Unterscheidung trifft nicht mehr das Problem von Nachgeborenen, denen das Unterlassungshandeln ihrer Eltern und Großeltern nicht zur Last gelegt werden kann. Gibt es für diese überhaupt noch ein Problem der Mithaftung?

Jaspers' Fragen heute

Nach wie vor gibt es die einfache Tatsache, daß auch die Nachgeborenen in einer Lebensform aufgewachsen sind, in der *das* möglich war. Mit jenem Lebenszusammenhang, in dem Auschwitz möglich war, ist unser eigenes Leben nicht etwa durch kontingente Umstände, sondern innerlich verknüpft. Unsere Lebensform ist mit der Lebensform unserer Eltern und Großeltern verbunden durch ein schwer entwirrbares Geflecht von familialen, örtlichen, politischen, auch intellektuellen Überlieferungen – durch ein geschichtliches Milieu also, das uns erst zu dem gemacht hat, was und wer wir heute sind. Niemand von uns kann sich aus diesem Milieu herausstehlen, weil mit ihm unsere Identität, sowohl als Individuen wie als Deutsche, unauflöslich verwoben ist. Das reicht von der Mimik und der körperlichen Geste über die Sprache bis in die kapillarischen Verästelungen des intellektuellen Habitus. Als könnte ich beispielsweise, wenn ich an ausländischen Universitäten lehre, je die Mentalität verleugnen, in die die Spuren der sehr deutschen Denkbewegung von Kant bis Marx und Max Weber eingegraben sind. Wir müssen also zu unseren Traditionen stehen, wenn wir uns nicht selber verleugnen wollen. Daß es für solche Ausweichmanöver keinen Grund gibt, darin bin ich sogar mit Herrn Dregger einig. Aber was folgt aus dieser existentiellen Verknüpfung mit Traditionen und Lebensformen, die durch unaussprechliche Verbrechen vergiftet worden sind? Für diese Verbrechen konnte einmal eine ganze zivilisierte, auf Rechtsstaat und humanistische Kultur stolze Bevölkerung haftbar gemacht werden – im Jasperschen Sinne einer kollektiven Mithaftung. Überträgt sich etwas von dieser Haftung auch noch auf die nächste und die übernächste Generation? Aus zwei Gründen, denke ich, sollten wir die Frage bejahen.

Da ist zunächst die Verpflichtung, daß wir in Deutschland – selbst wenn es niemand sonst mehr auf sich nähme – unverstellt, und nicht nur mit dem Kopf, die Erinnerung an das Leiden der von deutschen Händen Hingemordeten wachhalten müssen. Diese Toten haben erst recht einen Anspruch auf die schwache anamnetische Kraft einer Solidarität, die Nachgeborene nur noch im Medium der immer wieder erneuerten, oft verzweifelten, jedenfalls umtreibenden Erinnerung üben können. Wenn wir uns über dieses Benjaminsche Vermächtnis hinwegsetzten, würden jüdische Mitbürger, würden überhaupt die Söhne, die Töchter und die Enkel der Ermordeten in unserem Lande nicht mehr atmen können. Das hat auch politische Implikationen. Jedenfalls sehe ich nicht, wie sich das Verhältnis der Bundesrepublik beispielsweise zu Israel auf absehbare Zeit »normalisieren« könnte. Manch einer führt freilich die »geschuldete Erinnerung« nur noch im Titel, während der Text die öffentlichen Manifestationen eines entsprechenden Gefühls als Rituale falscher Unterwerfung und als Gesten geheuchelter Demut denunziert. Mich wundert, daß diese Herrschaften – wenn denn schon christlich geredet werden soll – nicht einmal zwischen Demut und Buße unterscheiden können.

Der aktuelle Streit geht jedoch nicht um die geschuldete Erinnerung, sondern um die eher narzißtische Frage, wie wir uns – um unserer selbst willen – zu den eigenen Traditionen stellen sollen. Wenn das nicht ohne Illusion gelingt, wird auch das Eingedenken der Opfer zur Farce. Im offiziell bekundeten Selbstverständnis der Bundesrepublik gab es bisher eine klare und einfache Antwort. Sie lautet bei Weizsäcker nicht anders als bei Heinemann und Heuss. Nach Auschwitz können wir nationales Selbstbewußtsein allein aus den besseren Traditionen unserer nicht unbesehen, sondern kritisch angeeigneten Geschichte schöpfen. Wir können einen nationalen Lebenszusammenhang, der einmal eine unvergleichliche Versehrung der Substanz menschlicher Zusammengehörigkeit zugelassen hat, einzig im Lichte von solchen Traditionen fortbilden, die einem durch die moralische Katastrophe belehrten, ja argwöhnischen Blick standhalten. Sonst können wir uns selbst nicht achten und von anderen Achtung nicht erwarten.

Diese Prämisse hat bisher das offizielle Selbstverständnis der Bundesrepublik getragen. Der Konsens wird heute von rechts aufgekündigt. Man fürchtet nämlich eine Konsequenz: Eine kritisch sichtende Traditionsaneignung fördert in der Tat nicht das naive Vertrauen in die Sittlichkeit bloß eingewöhnter Verhältnisse; sie verhilft nicht zur Identifikation mit ungeprüften Vorbildern. Martin Broszat sieht hier mit Recht den Punkt, an dem sich die Geister scheiden. Die NS-Periode wird sich um so weniger als Sperriegel querlegen, je gelassener wir sie als den Filter betrachten, durch den die kulturelle Substanz, soweit diese mit Willen und Bewußtsein übernommen wird, hindurch muß.

Gegen diese Kontinuität im Selbstverständnis der Bundesrepublik stemmen sich heute Dregger und seine Gesinnungsgenossen. Soweit ich erkennen kann, speist sich ihr Unbehagen aus drei Quellen.

Drei Quellen des Unbehagens

Zunächst spielen Situationsdeutungen neokonservativer Herkunft eine Rolle. Nach dieser Lesart verstellt die moralisierende Abwehr der jüngsten Vorvergangenheit den freien Blick auf die tausendjährige Geschichte vor 1933. Ohne Erinnerung an diese unter »Denkverbot« geratene nationale Geschichte könne sich ein positives Selbstbild nicht herstellen. Ohne kollektive Identität schwänden die Kräfte der sozialen Integration. Der beklagte »Geschichtsverlust« soll gar zur Legitimationsschwäche des politischen Systems beitragen, nach innen den Frieden, nach außen die Berechenbarkeit gefähren. Damit wird dann die kompensatorische »Sinnstiftung« begründet, mit der die Geschichtsschreibung die vom Modernisierungsprozeß Entwurzelten bedienen soll. Der identifikatorische Zugriff auf die nationale Geschichte verlangt aber eine Relativierung des Stellenwerts der negativ besetzten NS-Zeit; für diesen Zweck genügt es nicht mehr, die Periode auszuklammern, sie muß in ihrer Bedeutung eingeebnet werden.

Für einen verharmlosenden Revisionismus gibt es zweitens, und ganz unabhängig von funktionalistischen Erwägungen à la Stürmer, ein tieferliegendes Motiv. Darüber kann ich, da ich kein Sozialpsychologe bin, nur Vermutungen anstellen. Edith Jacobson hat einmal sehr eindringlich die psychoanalytische Einsicht entwickelt, daß das heranwachsende Kind lernen muß, die Erfahrungen mit der liebenden und gewährenden Mutter nach und nach mit jenen Erfahrungen zu verknüpfen, die aus dem Umgang mit der sich versagenden, sich entziehenden Mutter stammen. Offenbar ist es ein langer und schmerzhafter Prozeß, in dem wir lernen, die zunächst konkurrierenden Bilder von den guten und den bösen Eltern zu komplexen Bildern *derselben* Person zusammenzusetzen. Das schwache Ich gewinnt seine Stärke erst aus dem nicht-selektiven Umgang mit einer ambivalenten Umgebung. Auch unter Erwachsenen ist das Bedürfnis, entsprechende kognitive Dissonanzen zu entschärfen, noch wach. Es ist um so verständlicher, je weiter die Extreme auseinandergehen: beispielsweise die erfahrungsgesättigten, positiven Eindrücke vom eigenen Vater oder Bruder und die problematisierenden Kenntnisse, die uns abstrakte Berichte über Handlungszusammenhänge und Verwicklungen dieser nahestehenden Personen vermitteln. So sind es keineswegs die moralisch Unsensiblen, die sich gedrängt fühlen, jenes kollektive Schicksal, in das die Nächsten verstrickt waren, vom Makel ungewöhnlicher moralischer Hypotheken zu befreien.

Wiederum auf einer anderen Ebene liegt das dritte Motiv – der Kampf um die Wiedergewinnung belasteter Traditionen. Solange der aneignende Blick auf die Ambivalenzen gerichtet ist, die sich dem Nachgeborenen aus der Kenntnis des historischen Verlaufs ohne eigenes Verdienst zu erkennen geben, läßt sich auch Vorbildliches von der retroaktiven Gewalt einer korrumpierten Wirkungsgeschichte nicht freihalten. Nach 1945 lesen wir eben Carl Schmitt und Heidegger und Hans Freyer, selbst Ernst Jünger anders als vor 1933. Das ist manchmal schwer erträglich, zumal für meine Generation, die – nach dem Kriege, in der langen Latenzperiode bis Ende der fünfziger Jahre – unter dem intellektuellen Einfluß überragender Figuren dieser Art gestanden hat. Das mag, nebenbei, jene anhaltenden Rehabilitationsbemühungen erklären, die – nicht nur in der *FAZ* – so inständig aufs jungkonservative Erbe verwendet werden.

Vierzig Jahre danach ist also der Streit, den Jaspers seinerzeit mühsam schlichten konnte, in anderer Form wieder aufgebrochen. Kann man die Rechtsnachfolge des Deutschen Reiches antreten, kann man die Traditionen der deutschen Kultur fortsetzen, ohne die historische Haftung für die Lebensform zu übernehmen, in der Auschwitz möglich war? Kann man für den Entstehungszusammenhang solcher Verbrechen, mit dem die eigene Existenz geschichtlich verwoben ist, auf eine andere Weise haften als durch die solidarische Erinnerung an das nicht Wiedergutzumachende, anders als durch eine reflexive, prüfende Einstellung gegenüber den eigenen, identitätsstiftenden Traditionen? Läßt sich nicht allgemein sagen: Je weniger Gemeinsamkeit ein kollektiver Lebenszusammenhang im Innern gewährt hat, je mehr er sich nach außen durch Usurpation und Zerstörung fremden Lebens erhalten hat, um so größer ist die Versöhnungslast, die der Trauerarbeit und der selbstkritischen Prüfung der nachfolgenden Generationen auferlegt ist? Und verbietet es nicht gerade dieser Satz, die Unvertretbarkeit der uns zugemuteten Haftung durch einebnende Vergleiche herunterzuspielen? Das ist die Frage der Singularität der Nazi-Verbrechen. Wie muß es im Kopf eines Historikers aussehen, der behauptet, ich hätte diese Frage »erfunden«?

Wir führen den Streit um die richtige Antwort aus der Perspektive der ersten Person. Man soll diese Arena, in der es unter uns Unbeteiligte nicht geben kann, nicht verwechseln mit der Diskussion von Wissenschaftlern, die während ihrer Arbeit die Beobachterperspektive einer dritten Person einnehmen müssen. Von der komparativen Arbeit der Historiker und anderer Geisteswissenschaftler wird die politische Kultur der Bundesrepublik gewiß berührt; aber erst durch die Schleusen der Vermittler und der Massenmedien gelangen die Ergebnisse der wissenschaftlichen Arbeit, mit einer Rückkehr zur Beteiligtenperspektive, in den öffentlichen Fluß der Traditionsaneignung. Erst hier können aus Vergleichen Aufrechnungen werden. Die ehrpusselige Entrüstung über eine angebliche Vermengung von Politik und Wissenschaft schiebt das Thema aufs ganz falsche Gleis. Nipperdey und Hildebrand vergreifen sich entweder in der Schublade oder im Adressaten. Sie leben anscheinend in einem ideologisch geschlossenen, von der Realität nicht mehr erreichbaren Milieu. Es geht ja nicht um Popper versus Adorno, nicht um wissenschaftstheoretische Auseinandersetzungen, nicht um Fragen der Wertfreiheit – es geht um den öffentlichen Gebrauch der Historie.

Aus Vergleichen werden Aufrechnungen

Im Fach haben sich, wenn ich das aus der Entfernung richtig sehe, hauptsächlich drei Positionen herausgebildet; sie beschreiben die NS-Zeit aus der Sicht der Totalitarismustheorie oder auf die Person und Weltanschauung Hitlers zentriert oder mit dem Blick auf die Strukturen des Herrschafts- und des Gesellschaftssystems. Gewiß eignet sich die eine oder die andere Position mehr oder weniger gut für von außen herangetragene Absichten der Relativierung und Einebnung. Aber selbst die Betrachtung, die auf die Person Hitlers und seinen Rassenwahn fixiert ist, kommt doch im Sinne eines verharmlosenden, insbesondere die konservativen Eliten entlastenden Revisionismus erst dann zur Wirkung, wenn sie in einer entsprechenden Perspektive und mit einem bestimmten Zungenschlag präsentiert wird. Dasselbe gilt für den Vergleich der NS-Verbrechen mit den bolschewistischen Vernichtungsaktionen, sogar für die abstruse These, der Archipel Gulag sei »ursprünglicher« als Auschwitz. Erst wenn eine Tageszeitung einen entsprechenden Artikel veröffentlicht, kann die Frage der Singularität der Nazi-Verbrechen für uns, die wir uns aus der Perspektive von Beteiligten Traditionen aneignen, die Bedeutung annehmen, die sie im gegebenen Kontext so brisant macht. In der Öffentlichkeit, für die politische Bildung, für die Museen und den Geschichtsunterricht stellt sich die Frage der apologetischen Herstellung von Geschichtsbildern als unmittelbar politische Frage. Sollen wir mit Hilfe historischer Vergleiche makabre Aufrechnungen vornehmen, um uns aus der Haftung für die Risikogemeinschaft der Deutschen herauszustehlen? Joachim Fest beklagt sich (in der *FAZ* vom 29. August) über die Empfindungslosigkeit, »mit der man sich an irgendwelchen Professorenschreibtischen daran (macht), die Opfer zu selektieren«. Dieser schlimmste Satz aus einem schlimmen Artikel kann nur auf Fest selbst zurückfallen. Warum verleiht er jener Art von Aufrechnungen, die bisher nur in rechtsradikalen Kreisen zirkulierten, in aller Öffentlichkeit einen offiziellen Anstrich?

Das hat mit Frageverboten für die Wissenschaft weiß Gott nichts zu tun. Hätte der Disput, der nun durch die Entgegnungen von Eberhard Jäckel, Jürgen Kocka (in der *Frankfurter Rundschau* vom 23. September) und Hans Mommsen (in den *Blättern für deutsche und internationale Politik*, Oktober 1986) in Gang gekommen ist, in einer Fachzeitschrift stattgefunden, hätte ich keinen Anstoß daran nehmen können – ich hätte die Debatte gar nicht zu Gesicht bekommen. Eine Sünde ist, wie Nipperdey sich mokiert, die bloße Publikation des Nolte-Artikels durch die *FAZ* gewiß nicht, wohl aber markiert sie einen Einschnitt in der politischen Kultur und im Selbstverständnis der Bundesrepublik. Als ein solches Signal wird dieser Artikel auch im Ausland wahrgenommen.

Dieser Einschnitt wird nicht dadurch entschärft, daß Fest die moralische Bedeutung von Auschwitz für uns abhängig macht von Vorlieben für eher pessimistische oder eher optimistische Geschichtsdeutungen. Pessimistische Geschichtsdeutungen legen jeweils andere praktische Konsequenzen nahe, je nachdem, ob die Konstanten des Unheils der bösen Menschennatur zugute gehalten oder als gesellschaftlich produziert aufgefaßt werden – Gehlen gegen Adorno. Auch die sogenannten optimistischen Geschichtsdeutungen sind ja keineswegs immer auf den »neuen Menschen« fixiert; ohne ihren Meliorismus ist bekanntlich die amerikanische Kultur gar nicht zu verstehen. Schließlich gibt es weniger einseitige Intuitionen. Wenn geschichtliche Fortschritte darin bestehen, Leiden einer versehrbaren Kreatur zu mildern, abzuschaffen oder zu verhindern, und wenn die historische Erfahrung lehrt, daß den endlich erzielten Fortschritten nur neues Unheil auf dem Fuße folgt, liegt die Vermutung nahe, daß die Balance des Erträglichen einzig dann erhalten bleibt, wenn wir um der möglichen Fortschritte willen unsere äußersten Kräfte aufbieten.

In den ersten Wochen sind meine Kontrahenten einer inhaltlichen Debatte mit dem Versuch ausgewichen, mich wissenschaftlich unglaubwürdig zu machen. Ich brauche auf diese abenteuerlichen Beschuldigungen an dieser Stelle nicht zurückzukommen, da sich die Diskussion inzwischen den Sachen zugewendet hat. Um die Leser der *Zeit* mit einer Ablenkungstechnik bekannt zu machen, die man eher von Politikern im Handgemenge als von Wissenschaftlern und Publizisten am Schreibtisch erwartet, nenne ich nur ein Beispiel. Joachim Fest behauptet, daß ich Nolte in der Hauptsache eine völlig falsche These unterschiebe: Nolte leugne »die Singularität der nationalsozialistischen Vernichtungsaktionen überhaupt nicht«. Tatsächlich hatte dieser geschrieben, daß jene Massenverbrechen weit irrationaler gewesen seien als ihre sowjetrussischen Vorbilder: »Alles dies«, so faßte er die Gründe zusammen, »konstituiert ihre Einzigartigkeit«, um dann fortzufahren: »aber das ändert nichts an der Tatsache, daß die sogenannte Judenvernichtung während des Dritten Reiches eine Reaktion war oder eine verzerrte Kopie, aber nicht ein erster Akt oder ein Original«. Der wohlwollende Kollege Klaus Hildebrand lobt denn auch in der *Historischen Zeitschrift* eben diesen Aufsatz als wegweisend, weil er »das scheinbar Einzigartige aus der Geschichte des ›Dritten Reiches‹ ... zu erklären versucht«. Ich konnte mir diese Lesart, die alle gegenteiligen Versicherungen als salvatorische Klauseln versteht, um so eher zu eigen machen, als Nolte inzwischen in der *FAZ* jenen Satz geschrieben hatte, der die Kontroverse überhaupt erst ins Rollen gebracht hat: Nolte hatte die Einzigartigkeit der NS-Verbrechen auf den »technischen Vorgang der Vergasung« reduziert. In Frageform läßt Fest es nicht einmal bei diesem Unterschied bewenden. Mit ausdrücklicher Bezugnahme auf die Gaskammern fragt er: »Läßt sich wirklich sagen, daß jene Massenliquidierungen durch Genickschuß, wie sie während des Roten Terrors über Jahre hin üblich waren, etwas qualitativ anderes sind? Ist nicht, bei allen Unterschieden, das Vergleichbare doch stärker?«

Ich akzeptiere den Hinweis, daß nicht »Vertreibung«, sondern »Vernichtung« der Kulaken die zutreffende Beschreibung dieses barbarischen Vorgangs ist; denn Aufklärung ist ein Unternehmen auf Gegenseitigkeit. Aber die in der breiten Öffentlichkeit vorgeführten Aufrechnungen von Nolte und Fest dienen nicht der Aufklärung. Sie berühren die politische Moral eines Gemeinwesens, das – nach einer Befreiung durch alliierte Truppen ohne eigenes Zutun – im Geiste des okzidentalen Verständnisses von Freiheit, Verantwortlichkeit und Selbstbestimmung errichtet worden ist.

Nachspiel

(1) Die ersten Reaktionen auf meinen (in *Die Zeit* vom 11. Juli 1986 erschienenen) Artikel ließen erkennen, wie Hildebrand, Stürmer, Hillgruber und Fest mit dem Thema des verharmlosenden Revisionismus fertig werden wollten: man verleugnete den Tatbestand und seinen politischen Kontext; man bestritt, daß die Aktivitäten der von mir erwähnten Historiker irgend etwas miteinander zu tun hätten; und man unterstellte mir, die Belege selber fabriziert zu haben. Auch das fadenscheinigste Element in dieser Verteidigungsstrategie, den Vorwurf der wissenschaftlichen Unredlichkeit, hätte ich auf sich beruhen lassen, wenn dieser nicht von A. Hillgruber in der von K. D. Erdmann herausgegebenen Zeitschrift *Geschichte in Wissenschaft und Unterricht* (12, 1986, S. 725 ff.) noch einmal auf eine in der Sache und im Tenor ungewöhnliche Weise aufgegriffen worden wäre.

Der Mühe der Zitatenkontrolle haben sich anscheinend weder Hillgruber noch Hildebrand unterzogen, noch gar die Historikerkollegen, die den Vorwurf der Zitatenfälschung weitergereicht haben. Sonst wäre ihnen der einzige sinnentstellende Fehler, der mir tatsächlich unterlaufen ist, kaum entgangen. Ich hätte Hillgrubers Stil der vergleichsweise entdramatisierenden Darstellung der Judenvernichtung in *Zweierlei Untergang* (Berlin 1986) nicht damit illustrieren dürfen, daß die Gaskammern als »effektivere Mittel« der Liquidation umschrieben werden; der Autor macht nämlich an dieser Stelle (S. 95) den Ausdruck »effektiv« durch Anführungszeichen als eine Entlehnung aus dem NS-Jargon kenntlich. Ich bedaure diesen Irrtum um so mehr, als sich zutreffende Beispiele leicht hätten finden lassen. Wie sehr die globale Beschuldigung als Vorwand dient, zeigt der Umstand, daß keiner der Historiker diesen einzigen nachweisbaren Fehler erwähnt. Hingegen halten die drei oder vier spezifischen Beschuldigungen, die ich in den verschiedenen Texten gefunden habe, einer Nachprüfung nicht stand.

(a) Michael Stürmer hat die Chuzpe, seine eigene Position schlicht in Abrede zu stellen: »Identitätsstiftung?« – so fragt er in einem Leserbrief (*FAZ* vom 16. August 1986) und gibt darauf die erstaunliche Antwort: »Identitätsstiftung sollte sie (die Historie) anderen überlassen.« In dem von ihm selbst herangezogenen Artikel (*Dissonanzen des Fortschritts*, München 1986, S. 16) heißt es hingegen: »Es erscheint notwendig, die Scheinalternative zwischen Politikgeschichte, Gesellschaftsgeschichte und Kulturgeschichte aufzulösen und zu begreifen, daß am Ende des 20. Jahrhunderts der Mensch der Industriekultur mehr als je seine historische Identität suchen und begreifen muß, um sich selbst nicht zu verlieren...« Weiterhin hatte ich Stürmer die Auffassung zugeschrieben, die Historie sei zur »Sinnstiftung« berufen. Daß es sich dabei ebensowenig um eine »phantasievolle Erfindung« handelt, hat Martin Broszat (in *Die Zeit* vom 3. Oktober 1986) mit vier Stürmer-Zitaten belegt.

(b) Auf einen weiteren Vorwurf von Klaus Hildebrand (*FAZ* vom 31. Juli 1986) bin ich in einem Leserbrief (vom 11. August 1986) schon kurz eingegangen. Zu jenen Akteuren, aus deren Sicht Hillgruber (in *Zweierlei Untergang*) das Kriegsgeschehen darstellen möchte, gehören neben dem deutschen Ostheer, der Marine und der deutschen Bevölkerung (S. 24) auch jene Befehlshaber, Landräte und Bürgermeister, denen der Autor eine verantwortungsethische Einstellung attestiert (S. 21). So treten denn in der Erzählung auch die »Hoheitsträger der NSDAP« – übrigens ohne Anführungszeichen – auf, von denen manche sich »bewährten«, andere versagten (S. 37). Das berechtigt mich zu der Feststellung, Hillgruber gehe es »um eine Darstellung des Geschehens aus der Sicht der tapferen Soldaten, der verzweifelten Zivilbevölkerung, auch der ›bewährten‹ Hoheitsträger der NSDAP« (*Die Zeit* vom 11. Juli 1986). Nach den üblichen Regeln der Logik läßt sich aus diesem Satz nicht mit Hildebrand folgern, daß Hillgruber nach meiner Darstellung behaupte oder impliziere, es habe damals nur tapfere Soldaten oder eben nur »bewährte« Hoheitsträger gegeben.

Hillgruber kritisiert (in *GWU* 12, 1986, S. 731) denselben Satz unter einem anderen Aspekt; er besteht auf der von mir vielleicht nicht hinreichend berücksichtigten Unterscheidung zwischen »(immer schon) bewährt« und »(seinerzeit) sich bewährend«. Aber hat denn nicht, wer sich sogar in extremis bewährt, die Vermutung für sich, ein bewährter Mann zu sein? Im übrigen bestätigt dieser ridiküle Wortstreit um sekundäre Tugenden noch einmal Hillgrubers mangelnde Distanz zu jener ganzen Sphäre. Gerühmt wird eine Feuerwehr, die selbst den Brand gelegt hat.

(c) Schließlich behauptet Hillgruber, ich würde seinen Text dadurch verfälschen, daß ich ihm fremde Auffassungen zuschreibe. Auch das ist unzutreffend. An einer Stelle (S. 86) vollzieht Hillgruber ein Gedankenexperiment von Christoph Dipper nach und macht sich die Substanz dieser Überlegung zu eigen. Anschließend bezweifelt er eine bestimmte These von Hans Mommsen (S. 87). Jenen Gedanken gebe ich korrekt als eine Auffassung wieder, die Hillgruber vertritt; und diese These mache ich als eine von Hillgruber kritisierte Auffassung kenntlich – ohne dabei Dipper und Mommsen namentlich zu erwähnen. An den Haaren herbeigezogen ist nun Hillgrubers Forderung, ich hätte bei meiner notgedrungen skizzenhaften Wiedergabe seines populärwissenschaftlich dargebotenen Grundgedankens darauf hinweisen müssen, auf wessen Auffassung sich der Autor jeweils stützt und wessen Auffassung er kritisiert. Die Redaktion einer Wochenzeitung streicht sogar die viel wichtigeren Zitatennachweise. Hillgruber kann offensichtlich die Textsorten nicht auseinanderhalten. Er könnte wissen, daß eine Zeitungspolemik keine Arbeit für's Historische Proseminar ist. Beim polemischen Zeitungsaufsatz bemißt sich die Korrektheit des Zitierens einzig daran, ob die wiedergegebenen Textausschnitte den Gedankengang oder den Stil der Darstellung, den sie kennzeichnen sollen, treffen.

(d) Wie Hillgruber selbst mit Texten umgeht, vermag ich nicht zu beurteilen, da ich nur die populäre Kompilation seiner beiden Aufsätze in *Zweierlei Untergang* kenne. Doch wenig Vertrauen erweckt in dieser Hinsicht eine (in *GWU*, S. 736 aufgestellte) Behauptung, die ich zufällig überprüfen kann. Hillgruber sagt dort, ich hätte »maßgeblichen Anteil« an der »von den extremen Linken an den westdeutschen Universitäten ... entfesselten Agitation und (am) psychischen Terror gegen einzelne nicht-marxistische Kollegen«. Von einem Historiker, und nicht nur von diesem, erwartet man, daß er die einschlägigen, übrigens leicht zugänglichen Dokumente und Darstellungen zur Kenntnis nimmt, bevor er sich von den Ressentiments seiner unreflektierten lebensgeschichtlichen Erfahrung gefangennehmen läßt. Mein Verhalten ist gut dokumentiert in: J. Habermas, *Kleine Politische Schriften I-IV*, Frankfurt/Main 1981; vgl. auch die Darstellung bei Rolf Wiggershaus, *Die Frankfurter Schule*, München 1986.

(2) Hillgruber wählt mit dem Streit um Zitate eine Ebene der

Auseinandersetzung, auf der er sich der Argumentation über die Sache selbst entziehen kann. Das nötigt mich, auf meine Kritik zurückzukommen. Hillgruber hat sich zwar nachträglich zu den extremen Behauptungen von Nolte und Fest behutsam geäußert (*GWU*, S. 735 f.), aber apologetisch ist sein eigenes Büchlein natürlich nicht im Sinne einer moralisch entlastenden Aufrechnung der nationalsozialistischen gegen die sowjetischen Massenverbrechen. Apologetisch ist seine Darstellung in einem anderen Sinne: der Titel *Zweierlei Untergang* steht für eine Relativierung von Auschwitz an der – aus der Perspektive nationalgeschichtlicher Normalität dargestellten – »Zerschlagung des Deutschen Reiches«. Auschwitz soll nicht mehr die Signatur der Epoche sein. Hillgruber geht es um eine Normalisierung unserer Betrachtung der NS-Periode in der Art, daß dem Geschehen an der »Ostfront« auch retrospektiv ein eigener – vom Unrechtsregime und seinen Massenverbrechen unberührter – Sinn zurückgegeben werden kann.

Karl Schlögel hat jüngst in einem bemerkenswerten Aufsatz über *Die blockierte Vergangenheit* die Aufgabe spezifiziert, die sich im Hinblick auf Hillgrubers Thema stellt: »Es waren die Panzer und Todesfabriken der Deutschen, die Mitteleuropa entvölkert und bis zur Unkenntlichkeit verändert haben. Die Vernichtung des mitteleuropäischen Judentums, die Versklavung der Völker dieses Raums, die Ermordung der polnischen und tschechischen Intelligenz, die Betrachtung aller Slawen als Arbeitsvieh und die systematische Vernichtung der sowjetischen Kriegsgefangenen – das ist etwas, was in der deutschen Geschichtsbewältigung öffentlich noch ansteht. Das deutsche Verbrechen hat einen ziemlich genauen Ort: Ostmitteleuropa war die Todeszone des gesamten NS-Reiches. Gerade weil dies ins Bewußtsein gehoben werden soll, besteht auch die Chance, von den Verbrechen, die an der deutschen Zivilbevölkerung in Ostmitteleuropa begangen wurden, von der Massenaustreibung der Deutschen zu sprechen.« (*FAZ* vom 21. Februar 1987) Diese heillose Geschichte könne nicht in der Sprache der Rechthaberei beschrieben werden: »Einer Geschichte kann nur gerecht werden, wer sich wenigstens auf alle Prozeßbeteiligten einläßt.«

Hillgruber beginnt mit einer Rechthaberei, die die moralischen Gewichte verschieben möchte. Gestützt auf den mehrfach zitierten Alfred Heuss, setzt er sich das Ziel, in der deutschen Bevölkerung das schwach ausgebildete Bewußtsein für »die wohl gravierendste Kriegsfolge« zu entfalten – gemeint ist die Vertreibung der Deutschen aus den ehemaligen Ostgebieten und die Abtretung dieser Gebiete an Polen (*GWU*, S. 730). In dieser Frage, welches denn die »schwerwiegendste» Kriegsfolge sei, ließ sich übrigens Hillgruber auch durch die ungläubigen Nachfragen seines Kollegen Jürgen Kocka nicht erschüttern (in einer Sendung des Österreichischen Fernsehens am ersten Februar-Wochenende). Nicht »die gemeinsame und gegenläufige Geschichte der in Mitteleuropa verwickelten Völker« (Schlögel), nicht deren heillose Verstrickungen macht Hillgruber zum Thema, sondern die Entflechtung des »Ostfront«-Geschehens von den vorausgegangenen und gleichzeitigen Verbrechen der Deutschen. Das erklärt, warum Hillgruber von Norbert Blüms Feststellung ausgeht (S. 18), daß die Verbrechen in den KZs nur so lange weitergingen, wie die deutschen Fronten hielten. Diese unbestreitbare kausale Verknüpfung will Hillgruber im Sinne einer tragischen Verkettung verstehen, aber nicht als einen verantwortbaren Zusammenhang. Sonst könnte ja daraus gefolgert werden, »daß es wünschenswert gewesen wäre, die Fronten, und das hieß auch die deutsche Ostfront... möglichst schnell einstürzen zu lassen, um dem Schrecken in den Konzentrationslagern ein Ende zu setzen« (S. 18). Dem hält Hillgruber »Nemmersdorf« entgegen, jenes zurückeroberte Dorf, wo sich den deutschen Soldaten ein Bild des Entsetzens geboten habe: »›Nemmersdorf‹ wurde zum Begriff dafür, was die deutsche Bevölkerung zu erwarten hatte, wenn die Dämme brechen würden.« (S. 19)

Hillgruber entwirft das Panorama des »verzweifelten Abwehrkampfes um die Bewahrung der Eigenständigkeit der Großmachtstellung des Deutschen Reiches, das nach dem Willen der Alliierten zertrümmert werden sollte« (S. 64), um diesem Stück deutscher Geschichte Normalität und Sinn zurückzugeben. Viele Deutsche haben das Frühjahr 1945 nicht als Befreiung erlebt. Muß deshalb der Historiker auch 40 Jahre danach die Niederlage aus der Perspektive der Zerschlagung des Deutschen Reiches schildern? Wenn er sie retrospektiv als eine Befreiung vom Nazi-Regime darstellen würde, müßte freilich für uns heute die objektive Sinnlosigkeit des von Hitler entfesselten Krieges deutlich werden. Mit seiner Version wehrt sich Hillgruber gegen diese Einsicht, auf der Kollegen wie Hans und Wolfgang Mommsen mit Recht insistieren: »Wir kommen um die bittere Wahrheit nicht herum, daß die Niederlage des nationalsozialistischen Deutschland nicht nur im Interesse der von Hitler mit Krieg überzogenen Völker und der von seinen Schergen zur Vernichtung oder Unterdrückung oder Ausbeutung ausgesonderten Bevölkerungsgruppen lag, sondern der Deutschen selbst.« (W. Mommsen in der *FR* vom 1. Dezember 1986)

Die NS-Zeit bildet für das Vorhaben sinnstiftender Normalisierung ein besonders ungeeignetes Objekt. Hillgruber sieht sich deshalb zu vier Operationen genötigt.

(a) Da ist zunächst der Entschluß unseres Autors, sich bei der Darstellung des Geschehens an der »Ostfront« mit der Perspektive der deutschen Bevölkerung und der kämpfenden Truppen – und nur mit dieser – zu identifizieren (S. 24 f.). Dem kopfschüttelnden Kommentar des Kollegen Christian Meier (*FAZ* vom 20. November 1986) begegnet Hillgruber nicht etwa mit einer Erklärung, sondern mit dem deutsch-nationalen Bekenntnis, daß sich ein deutscher Historiker mit dem deutschen Schicksal zu identifizieren habe (*FAZ* vom 29. November 1986). Meine Kritik an dieser für einen Historiker nach 40 Jahren doch etwas merkwürdigen Veteranenperspektive beantwortet er mit der grotesken Frage: »Soll hier – im Widerspruch zu unserer liberalen Verfassung – eine Vorschrift erlassen werden, was Historiker tun dürfen und was nicht?« (*GWU*, S. 731) Auch Saul Friedländer, der Kollege aus Tel Aviv, der sich in der führenden israelischen Tageszeitung zum Historikerstreit ausführlich geäußert hat, findet Hillgrubers methodologische Einseitigkeit »erstaunlich« (ich zitiere nach dem Manuskript des englischen Originals): »War denn die Identifikation mit der Roten Armee allein die Perspektive der Lagerinsassen? War es nicht die Hoffnung von Hunderten von Millionen von Leuten in ganz Europa und darüber hinaus, daß die deutsche Ostfront ebenso wie die Westfront zusammenbrechen würde? Damals – und Hillgruber will sich ja in den damaligen Kontext einfühlen –, damals warteten selbst die sehnlichst auf das Ende von Nazi-Deutschland, die außerhalb der deutschen Grenzen vor der Roten Armee Furcht hatten. Daß das innerhalb Deutschlands nicht der Fall war, mag verständlich sein; aber es mag auch zutreffen, daß genau darin, wie Heinrich Böll einmal bemerkt hat, das eigentliche Problem des Verhältnisses der Deutschen zu ihrer Vergangenheit besteht.«

(b) Sodann bringt Hillgruber in seiner Darstellung eine Perspektive zur Geltung, aus der der Zweite Weltkrieg als ein völlig normales Beispiel nationaler Selbstbehauptung erscheinen kann. Dafür muß er etwas weiter ausholen: »In der Tat boten die zwanziger und dreißiger Jahre nicht nur für die Wiederherstellung und Konsolidierung der im Weltkrieg zwar erschütterten, aber nicht zerstörten deutschen Großmachtstellung eine bemerkenswerte Chance; noch immer gab es eine Möglichkeit für eine Führungsrolle des Reichs in Mitteleuropa.« (S. 70) Wohl habe Hitler diese Chance durch seinen rassenideologisch begründeten Herrschaftsanspruch verspielt; aber der Krieg ging dann doch nach der gewöhnlichen Logik der Machtpolitik verloren. Darum legt Hillgruber so großen Wert auf den Nachweis, daß sich die alliierten Kriegsziele keineswegs als Antwort auf die Verbrechen der nationalsozialistischen Gewaltherrschaft verstehen lassen. Sie waren das Ergebnis des üblichen (allerdings durch Vorurteile gegen den preußischen Militarismus getrübten) Interessenkalküls. Dazu muß man den Harvard-Historiker Charles S. Maier lesen: »Für Hillgrubers Art der Betrachtung scheint es keine Rolle zu spielen, daß die deutsche Aggression die Alliierten tatsächlich veranlaßt haben könnte, über eine Teilung (Deutschlands) nachzudenken. Diese Möglichkeit wurde jedenfalls theoretisch verworfen, und die Teilung ergab sich erst aus der Situation am Ende des Krieges. Hillgrubers historiographischer Beitrag dazu, die ›Zukunft zu gewinnen‹, erschöpft sich in dem preußisch-deutschen Lamento ..., daß die macchiavellistischen Briten immer schon eine Konspiration mit dem Ziel der Einkreisung des Reiches betrieben haben. Es kann nicht überraschen, daß der Aufsatz mit der Klage darüber endet, Preußen und Deutschland seien nach 1945 nicht mehr in der Lage gewesen, ihre Vermittlerrolle zwischen Ost und West zu erfüllen. Aber welche Art von ›Vermittlerrolle‹ ist es denn gewesen, die alle diese deutschen Soldaten zunächst einmal nach Stalingrad gebracht hatte? Wie dem auch sei; alles das ist bestenfalls vulgärer Historismus.« (*Immoral Equivalence*, in: *The New Republic*, Dezember 1986, S. 38; meine Übersetzung.)

(c) Das normale Bild tapferer Selbstbehauptung kann freilich nur entstehen, wenn zwischen der patriotischen Verteidigung des eigenen Landes und der Bestandserhaltung des NS-Regimes keine allzu auffälligen Unterschiede gemacht werden. Deshalb bemüht sich Hillgruber, den politischen Widerstand gegen die Gewaltherrschaft im Inneren als gesinnungsethisch und unrealistisch abzuwerten (S. 20f.). Joachim Perels, der Hannoveraner Politikwissenschaftler, stellt dazu fest, »daß die ... Haltung der Gegner des Nationalsozialismus als Bezugssystem für die Analyse des ›Dritten Reiches‹ in Zweifel gezogen wird« (*FR* vom 29. Dezember 1986). Hillgrubers Darstellung wird so sehr vom Blick auf den äußeren Feind dirigiert, daß nur noch »das Schicksal der deutschen Nation als Ganzes« zählt (S. 24). In diesem höheren Ganzen verschmilzt das NS-Regime mit dem Land, für das es sich zu kämpfen lohnt.

(d) Diese drei Operationen – die Identifizierung des Geschichtsschreibers mit den kämpfenden Deutschen, der normalisierende Blick auf das Gegeneinander von alliierten Kriegszielen und deutschen Interessen sowie die Bagatellisierung des deutschen Widerstandes – ermöglichen den entscheidenden Schritt: die Verschiebung der moralischen Gewichte zwischen dem, was die deutsche Nation im Verlaufe und als Folge des von ihr angezettelten Krieges erlitten hat, und dem, was deutsche Truppen und deutscher Terror anderen an Leid zugefügt haben. Erst jene drei Operationen machen es möglich, die Vernichtung des europäischen Judentums vom Kampf an der »Ostfront« zu entkoppeln – und Hitler als ausschließliche Konsequenz seiner Rassendoktrin (wie es schon im Vorwort heißt) zuzurechnen. Natürlich verabscheut Hillgruber die Massenverbrechen der Nazis. Aber die Botschaft, die seine Erzählung dem Leser suggeriert, wird von Micha Brumlik (in der *taz* vom 12. Juli 1986) richtig wiedergegeben: Angesichts der Übel, die der hinhaltende Widerstand gegen die Rote Armee vermeiden sollte, konnte aus deutscher Sicht das andere Übel – das fortgesetzte Morden und Leiden in den Konzentrationslagern – »in Kauf genommen« werden. Ähnlich sieht auch Hans Mommsen »die Relativierung des Holocaust« darin, daß Hillgruber »die planmäßige Ermordung von Millionen europäischer Juden mit den Opfern der Endphase des Zweiten Weltkrieges im Osten auf eine Stufe stellte« (H. Mommsen, *Die Wende im Geschichtsbild*, in: *Vorwärts*, 20. Dezember 1986, S. 40).

(3) Am bisherigen Verlauf der Debatte irritiert mich am meisten, daß ein prominenter Teil der deutschen Historiker bereit ist, den apologetischen Gehalt des Hillgruberschen Buches abzustrei-

ten oder zu ignorieren. Es würde mich beruhigen, wenn das wenigstens nur aus Opportunismus geschähe – Hillgruber ist ein einflußreicher Mann.

Hillgruber stellt seinen für die breite Öffentlichkeit bestimmten Text selbst in den Zusammenhang der politischen Diskussion über den 8. Mai (S. 16f.). Von diesem 8. Mai 1985, und das bedeutet: von der Bitburger Inszenierung, führt eine gerade Linie zu jener Standard-Wahlrede, mit der Franz Josef Strauß durch die Lande gereist ist. Darin heißt es: »Es ist jetzt höchste Zeit, daß wir aus dem Schatten des Dritten Reiches und aus dem Dunstkreis Hitlers heraustreten und wieder eine normale Nation werden... Ohne eine nationale Identität, in der die Deutschen ihr Verhältnis zu sich selber, zu ihrer Vergangenheit, aber auch zu ihrer Zukunft finden, kann das deutsche Volk seine Aufgabe auf dieser Welt nicht erfüllen... Und deshalb, meine Damen und Herren, brauchen wir hier – ich sage das nicht überheblich – mehr aufrechten Gang.« (*FR* vom 14. Januar 1987) Auf einer Tagung der Konrad-Adenauer-Stiftung hat der Historiker und Adenauer-Biograph Hans-Peter Schwarz, wie der Berichterstatter Rolf Zundel anmerkt, »die Historikerdebatte auf einen klaren, machtpolitischen Begriff gebracht«, und zwar mit der Aussage: die Westdeutschen »lechzten gerade im letzten Jahrzehnt ganz sichtlich danach, sich wieder ihrer Wurzeln in einer unverkürzten, lebendig erfahrbaren deutschen Geschichte zu vergewissern, werden aber unablässig nur an die zwölf Jahre erinnert, auf die sich kein patriotisches Selbstwertgefühl gründen läßt. Wo das Nationalbewußtsein durch Schuldbewußtsein ersetzt wurde, ist die Degeneration des Patriotismus in einem defaitistischen Pazifismus vorprogrammiert.« (*Die Zeit* vom 6. Februar 1987) Wie man sieht, wetteifern heute Politiker und Zeithistoriker darum, zu definieren, was man von der Zeitgeschichtsschreibung politisch zu erwarten habe. In einer solchen Situation können sich Hillgruber und Genossen nicht mehr dumm stellen. Statt zu insinuieren, daß ich so etwas wie Denk- oder Frageverbote im Sinne hätte, wäre wohl dem einen oder anderen Historiker eine größere Sensibilität für seine eigene wissenschaftliche Unabhängigkeit vom politischen Kontext zu empfehlen.

Für das politische Selbstverständnis der Bundesrepublik hatte die bisherige Debatte immerhin das Ergebnis, eine Alternative deutlicher vor Augen zu rücken. Die einen haben ein funktionalistisches Verständnis vom öffentlichen Gebrauch der Historie und geben die machtpolitische, aber widersprüchliche Parole aus, Natotreue und inneren Zusammenhalt durch »Nationalbewußtsein statt Schuldbewußtsein« zu fördern. Die anderen setzen gegen eine solche »Geschichtspolitik«, überhaupt gegen ein manipuliertes Geschichtsbewußtsein, Aufklärung. Sie verwechseln die verfassungspatriotische Bindung an die Prinzipien des Rechtsstaats, die Identifikation mit westlichen Lebensformen und eine solide politische Bindung an den Westen nicht mit kritikloser Folgebereitschaft gegenüber beliebigen US-amerikanischen Politiken – und seien sie so verstiegen wie das Programm für einen »Krieg der Sterne«. Vor allem vertrauen sie auf ein nationales Selbstbewußtsein, das seine Kräfte einzig schöpft aus der kritischen, durch Auschwitz belehrten Aneignung unserer an unzweideutigen Vorbildern glücklicherweise nicht so armen Traditionen.

7. Geschichtsbewußtsein und posttraditionale Identität

Die ersten vier Abschnitte des folgenden Textes lagen der Dankrede zugrunde, die ich am 14. Mai 1987 in Kopenhagen bei der Entgegennahme des Sonning-Preises gehalten habe.

Geschichtsbewußtsein und posttraditionale Identität
Die Westorientierung der Bundesrepublik

I

Die Widmung des Sonning-Preises erinnert mit dem Hinweis auf die europäische Kultur an das Milieu, das uns heute verbindet. Damit meine ich zunächst uns Westeuropäer, die wir nicht nur vom Erbe der europäischen Geistesgeschichte zehren, sondern auch demokratische Staatsformen und okzidentale Lebensformen teilen. Dieser »Westen« ist von der ersten Staatengeneration des neuzeitlichen Europa bestimmt worden; Engländer und Franzosen gehörten dazu ebenso selbstverständlich wie Dänen und Schweden. Daß sich die Deutschen diesseits von Elbe und Werra zum westlichen Europa rechnen, ist erst in den Jahrzehnten seit dem Ende des Zweiten Weltkriegs selbstverständlich geworden.

Mitten im Ersten Weltkrieg hat noch der Liberale Friedrich Naumann ein Buch mit dem Titel *Mitteleuropa* veröffentlicht. Ein Jahr vor der nationalsozialistischen Machtübernahme schreibt der Tatkreisler Giselher Wirsing über *Zwischeneuropa und die deutsche Zukunft*. Darin spiegeln sich der Traum von einer Hegemonie der Mittelmächte und jene Ideologie der Mitte, die von der Romantik bis zu Heidegger im »antizivilisatorischen, antiwestlichen Unterstrom der deutschen Überlieferung«[1] tief verwurzelt war. Das an die geographische Mittellage fixierte Selbstbewußtsein ist während der Nazi-Zeit noch einmal sozialdarwinistisch zugespitzt worden. Und diese Mentalität gehört zu den Faktoren, die erklären, wie es dazu kommen konnte, daß eine ganze zivilisierte Bevölkerung vor Massenverbrechen die Augen geschlossen hat. Das Bewußtsein, einen Sonderweg eingeschlagen zu haben, der Deutschland vom Westen trenne und ihm gegenüber privilegiere, ist erst durch Auschwitz diskreditiert worden; es hat jedenfalls nach Auschwitz seine mythenbildende Kraft verloren. Womit wir Deutschen uns damals von der westlichen Zivilisation, ja von jeder Zivilisation losgesagt haben, hat einen Schock ausgelöst; obgleich viele Bürger der Bundesrepublik den Schock zunächst abgewehrt haben, standen sie auch unter diesem

Einfluß, als sie nach und nach ihre Vorbehalte gegenüber der politischen Kultur und den gesellschaftlichen Verkehrsformen des Westens aufgegeben haben. Eine Mentalität hat sich geändert.

So jedenfalls schien es, und so erscheint es mir noch. Zweifel an dieser Diagnose werden freilich geweckt, wenn man die seit einem Jahr geführte Historikerdebatte, die in Wahrheit eine Debatte über das Selbstverständnis der Bundesrepublik ist, mit dem gebotenen Mißtrauen betrachtet. Gewiß, auf beiden Seiten wird die Orientierung der Bundesrepublik nach Westen emphatisch verteidigt; aber die eine Seite läßt sich eher von einem machtpolitischen Konzept der Westbindung leiten und denkt in erster Linie an das militärische Bündnis und an die Außenpolitik, während die andere Seite die Bindung an die Aufklärungskultur des Westens betont. Nicht die Zugehörigkeit der Bundesrepublik zu Westeuropa steht zur Debatte, sondern die von neokonservativer Seite aufgeworfene Frage, ob die Option für den Westen nicht breitenwirksam in einem erneuerten nationalen Selbstbewußtsein verankert werden müsse. Die angeblich gefährdete Identität der Deutschen, so meint man, müsse durch historische Vergegenwärtigung »zustimmungsfähiger Vergangenheiten« gefestigt werden. Dieser Seite geht es um die neohistoristische Beleuchtung nationalgeschichtlicher Kontinuitäten, die auch durch die dreißiger und vierziger Jahre hindurch reichen. Die heutigen Generationen würden sich, so erwartet man, zu einer NS-Periode, die ein Stück ihrer Normalität zurückerhielte, distanzierter und freier verhalten können.

Auf der anderen Seite machen die Kritiker geltend, daß die historische Wahrheit bei dieser Art von Geschichtspolitik auf der Strecke bleiben könnte. Sie fürchten die historische Einebnung des Exzeptionellen eben der Vorgänge und Verhältnisse, die Auschwitz möglich gemacht haben, auch aus einem anderen Grunde. Die Verschiebung der moralischen Gewichte und eine Banalisierung des Außerordentlichen könnten das Bewußtsein der Diskontinuitäten unserer jüngsten Geschichte entschärfen. Denn allein in dem ungetrübten Bewußtsein des Bruchs mit verhängnisvollen Traditionen bedeutet die vorbehaltlose Öffnung der Bundesrepublik gegenüber der politischen Kultur des Westens mehr als eine ökonomisch attraktive und machtpolitisch unausweichliche Opportunität. Auf dieses Mehr an intellektueller Neuorientierung kommt es mir an.

Nun würde ich ein dänisches Publikum kaum mit einer fast intimen deutschen Problematik behelligen, wenn ich nicht glaubte, dieser auch allgemeinere Aspekte abzugewinnen. Natürlich möchte ich nicht vorschnell verallgemeinern. In Dänemark ist »nur« ein Prozent der jüdischen Bevölkerung der SS in die Hände gefallen.[2] Kein Grund zum Triumph – denn jeder einzelne, der abtransportiert wurde, hinterläßt die Spur einer nicht wiedergutzumachenden Leidensgeschichte. Gleichwohl können Sie stolz auf das sein, was viele Ihrer Landsleute getan haben in einer Zeit, als bei uns die Masse der Bevölkerung das Ungeheuerliche, das man mindestens ahnte, mindestens geschehen ließ. Einige sind Erben der Opfer und derer, die den Gezeichneten geholfen oder Widerstand geleistet haben. Andere sind Erben der Täter oder derer, die stillgehalten haben. Diese *geteilte* Erbschaft begründet für die Nachgeborenen weder persönliches Verdienst noch Schuld. Jenseits von individuell zurechenbarer Schuld können aber verschiedene Kontexte verschiedene historische Bürden bedeuten. Mit den Lebensformen, in die wir hineingeboren wurden und die unsere Identität geprägt haben, übernehmen wir ganz verschiedene Sorten einer geschichtlichen Haftung (im Jasperschen Sinne).[3] Denn von uns hängt es ab, wie wir die Traditionen, in denen wir uns vorfinden, fortsetzen.

Keine vorschnellen Verallgemeinerungen also. Auf einer anderen Ebene ist jedoch Auschwitz zur Signatur eines ganzen Zeitalters geworden – und geht uns alle an. Hier ist etwas geschehen, was bis dahin niemand auch nur für möglich halten konnte. Hier ist an eine tiefe Schicht der Solidarität zwischen allem, was Menschenantlitz trägt, gerührt worden; die Integrität dieser Tiefenschicht hatte man bis dahin – trotz aller naturwüchsigen Bestialitäten der Weltgeschichte – unbesehen unterstellt. Ein Band von Naivität ist damals zerrissen worden – eine Naivität, aus der fraglose Überlieferungen ihre Autorität geschöpft, von der überhaupt geschichtliche Kontinuitäten gezehrt hatten. Auschwitz hat die Bedingungen für die Kontinuierung geschichtlicher Lebenszusammenhänge verändert – und das nicht nur in Deutschland.

Sie kennen vielleicht jenes merkwürdig archaische Gefühl der Scham im Angesicht einer Katastrophe, die wir zufällig, ohne eigenes Verdienst überlebt haben. Ich habe diese Reaktion zuerst an anderen beobachtet: an denen, die dem KZ entronnen sind, die untergetaucht oder emigriert waren – und die nicht anders als auf eine unerklärlich selbstpeinigende Weise mit denen Solidarität üben konnten, die die Vernichtungsaktionen eben nicht überlebt hatten. Nach Maßstäben persönlicher Schuld ist das Gefühl grundlos. Aber die, die in den Sog dieser Art von Melancholie geraten, verhalten sich so, als ob sie dem Präteritum eines nicht wiedergutzumachenden Unheils durch mitleidendes Eingedenken doch noch das Definitive nehmen könnten. Ich möchte diesem Phänomen nicht sein Spezifisches absprechen. Aber liegt nicht seit jener moralischen Katastrophe, in abgeschwächter Weise, auf unserer aller Überleben der Fluch des bloßen Davongekommenseins? Und begründet nicht die Zufälligkeit des unverdienten Entrinnens eine intersubjektive Haftung – eine Haftung für entstellte Lebenszusammenhänge, die das Glück oder auch bloß die Existenz der einen einzig um den Preis des vernichteten Glücks, des vorenthaltenen Lebens und des Leidens der anderen einräumen?

II

Walter Benjamin hat diese Intuition in seinen *Geschichtsphilosophischen Thesen* vorweggenommen und auf den Begriff gebracht: »Es ist niemals ein Dokument der Kultur, ohne zugleich ein solches der Barbarei zu sein. Und wie es selbst nicht frei ist von Barbarei, so ist es auch der Prozeß der Überlieferung nicht, in der es von dem einen zum anderen gefallen ist.«[4]

Dieser Satz steht im Zusammenhang von Benjamins Kritik an jener Geschichtsbetrachtung, die der Neohistorismus heute – auch und gerade angesichts der NS-Periode – erneuern will: Damals stand die Geschichtsschreibung im Zeichen eines Historismus, der sich in den Sieger einfühlte, ohne der Opfer zu gedenken – es sei denn des triumphal verklärten Opfers der jeweils eigenen Helden. Was Benjamin vor Augen hatte, war der öffentliche Gebrauch, den im 19. Jahrhundert nationale Bewegungen und Nationalstaaten von der Historie gemacht haben – jene Art von breitenwirksamer Geschichtsschreibung, die als Medium dienen konnte für die Selbstvergewisserung einer Nation, eines seiner eigenen Identität bewußt werdenden Volkes. Ich will zunächst an einige Verbindungen zwischen Historismus und

Nationalismus erinnern, um dann zu erklären, warum uns heute, jedenfalls in den westlichen Gesellschaften, der Rückgriff auf diese Art nationalgeschichtlicher Identitätsbildung verwehrt ist.

Der Nationalismus, wie er sich in Europa seit dem Ende des 18. Jahrhunderts entfaltet hat, ist eine spezifisch moderne Erscheinungsform der kollektiven Identität. Nach dem Bruch mit dem Ancien Régime und mit der Auflösung der traditionellen Ordnungen der frühbürgerlichen Gesellschaft emanzipierten sich die einzelnen im Rahmen abstrakter staatsbürgerlicher Freiheiten. Die Masse der freigesetzten einzelnen wird mobil – nicht nur politisch als Bürger, sondern ökonomisch als Arbeitskräfte, militärisch als Wehrpflichtige, auch kulturell als Schulpflichtige, die lesen und schreiben lernen und in den Sog von Massenkommunikation und Massenkultur hineingeraten. In dieser Situation ist es der Nationalismus, der das Bedürfnis nach neuen Identifikationen befriedigt. Von älteren Identitätsformationen unterscheidet er sich in mehreren Hinsichten.[5] Erstens entstammen die identitätsstiftenden Ideen einem von Kirche und Religion unabhängigen, profanen Erbe, das durch die damals entstehenden Geisteswissenschaften aufbereitet und vermittelt wird. Das erklärt etwas von dem zugleich durchdringenden und bewußten Charakter der neuen Ideen. Sie erfassen alle Bevölkerungsschichten auf ähnliche Weise und sind auf eine selbsttätige, reflexive Form der Traditionsaneignung angewiesen. Zweitens bringt der Nationalismus das gemeinsame kulturelle Erbe von Sprache, Literatur und Geschichte mit der staatlichen Organisationsform zur Deckung. Der aus der Französischen Revolution hervorgegangene demokratische Nationalstaat bleibt das Modell, an dem sich alle nationalistischen Bewegungen orientieren. Drittens besteht im nationalen Bewußtsein eine Spannung zwischen zwei Elementen, die in den klassischen Staatsnationen – also den Nationen, die sich im Rahmen vorgefundener staatlicher Organisationsformen ihrer selbst erst bewußt werden – mehr oder weniger in Balance bleiben. Gemeint ist die Spannung zwischen den universalistischen Wertorientierungen des Rechtsstaates und der Demokratie einerseits, dem Partikularismus der sich nach außen abgrenzenden Nation andererseits.

Im Zeichen des Nationalismus bedeuten Freiheit und politische Selbstbestimmung beides: die Volkssouveränität gleichberechtigter Staatsbürger und die machtpolitische Selbstbehauptung der souverän gewordenen Nation. In der internationalen Solidarität mit den Unterdrückten, angefangen von der Griechen- und Polenbegeisterung des frühen 19. Jahrhunderts bis zum Heroenkult und Revolutionstourismus unserer Tage (China, Vietnam, Kuba, Portugal, Nicaragua), spiegelt sich das eine Element; das andere kommt zum Vorschein in den stereotypen Feindbildern, die den Weg aller nationalen Bewegungen gesäumt haben. Für die Deutschen zwischen 1806 und 1914 waren es die Feindbilder der Franzosen, der Dänen und der Engländer. Symptome dieser nicht aufgelösten Spannung zeigen sich aber nicht nur in solchen gegenläufigen Reaktionen, sondern an jenem Staat und jenem Geschichtsbewußtsein selber, in denen der Nationalismus Gestalt gewinnt.

Die Form nationaler Identität macht es nötig, daß sich jede Nation in einem Staat organisiert, um unabhängig zu sein. In der historischen Wirklichkeit ist jedoch der Staat mit national homogener Bevölkerung immer Fiktion geblieben. Der Nationalstaat selber erzeugt erst jene autonomistischen Bewegungen, in denen unterdrückte nationale Minderheiten um ihre Rechte kämpfen. Und indem der Nationalstaat Minderheiten seiner zentralen Verwaltung unterwirft, setzt er sich in Widerspruch zu Prämissen der Selbstbestimmung, auf die er sich selbst beruft. Ein ähnlicher Widerspruch durchzieht das historische Bewußtsein, in dessen Medium sich das Selbstbewußtsein einer Nation bildet. Um eine kollektive Identität formen und tragen zu können, muß der sprachlich-kulturelle Lebenszusammenhang auf eine sinnstiftende Weise vergegenwärtigt werden. Nur die narrative Konstruktion eines auf das eigene Kollektiv zugeschnittenen sinnhaften Geschehens bietet handlungsorientierende Zukunftsperspektiven und deckt den Bedarf an Affirmation und Selbstbestätigung. Dem widerstreitet aber das geisteswissenschaftliche Medium der Vergegenwärtigung affirmativer Vergangenheiten. Der Wahrheitsbezug verpflichtet die Geisteswissenschaften auf Kritik; er steht im Gegensatz zur sozialintegrativen Funktion, für die der Nationalstaat die historischen Wissenschaften öffentlich in Gebrauch nahm. Normalerweise bestand der Kompromiß in einer Geschichtsschreibung, die die Einfühlung ins Bestehende zum methodischen Ideal erhebt und darauf verzichtet, »die Geschichte gegen den Strich zu bürsten« (Benjamin). Der Blick, der sich von der Rückseite des Siegers abkehrt, kann seine Selektivität vor sich selbst um so eher verbergen, als diese in der Selektivität der Erzählform verschwindet.

Mit solchen Widersprüchen haben die klassischen und die aus den Risorgimentobewegungen hervorgegangenen Nationalstaaten mehr oder weniger unauffällig gelebt. Erst der integrale Nationalismus, der sich in Figuren wie Hitler und Mussolini verkörperte, hat die prekäre Balance zerstört und den nationalen Egoismus aus der Bindung an die universalistischen Ursprünge des demokratischen Verfassungsstaates vollends gelöst. Das bis dahin immer wieder beschwichtigte partikularistische Element hat sich schließlich im Nazi-Deutschland zur Vorstellung von der rassischen Suprematie des eigenen Volkes aufgespreizt. Das hat, wie gesagt, einer Mentalität den Rücken gestärkt, ohne die die großräumig organisierte Ausrottung pseudowissenschaftlich definierter Kategorien von inneren und äußeren Feinden nicht möglich gewesen wäre. An dem auf die Exaltation folgenden Schock sind in Deutschland, wenn auch zunächst nur auf dem Wege der Abwehr und der Ausklammerung der negativ besetzten Periode, die narrativ hergestellten nationalgeschichtlichen Kontinuitäten zerbrochen. Längerfristig hat dieser Schock auch einen Einbruch der Reflexion ins öffentliche Geschichtsbewußtsein ausgelöst und die Selbstverständlichkeiten einer vom Nationalismus geprägten kollektiven Identität erschüttert.

Es fragt sich nun, ob man darin nur die Fortsetzung einer nationalen Pathologie mit umgekehrten Vorzeichen, so etwas wie negativen Nationalismus (Nolte) sehen sollte; oder ob sich unter den besonderen Bedingungen der Bundesrepublik, nur zwanghafter und unausgeglichener, ein Formwandel abzeichnet, der sich auch in den klassischen Staatsnationen vollzieht. Ich denke an einen Formwandel der nationalen Identitäten, bei dem sich zwischen ihren beiden Elementen die Gewichte verschieben. Wenn meine Vermutung zutrifft, verändert sich die Konstellation in der Weise, daß die Imperative der machtpolitischen Selbstbehauptung nationaler Lebensformen die Handlungsweise des demokratischen Verfassungsstaates nicht mehr nur beherrschen, sondern an Postulaten der Verallgemeinerung von Demokratie und Menschenrechten auch ihre Grenze finden.

III

Im Jahre 1949 sind sechs neue Staaten gegründet worden. Vietnam, Laos, Kambodscha und Indonesien gehören zu jener dritten Generation von Nationalstaaten, die aus der Auflösung der Kolonialreiche in Asien und Afrika hervorgegangen sind und *mutatis mutandis* dem Muster ihrer Vorgänger folgen. Die Bundesrepublik Deutschland und die Deutsche Demokratische Republik, die zur gleichen Zeit entstehen, fallen aus dieser Serie heraus. Nach der einen Lesart sind die beiden Nachfolgestaaten des Deutschen Reiches transitorische Gebilde, denen die nationalstaatliche Einheit einstweilen vorenthalten wird. Die Hypothese eines allgemeinen Formwandels nationaler Identitäten erfordert eine andere Lesart. Ihr zufolge ist 1945 die nicht einmal fünfundsiebzigjährige, ohnehin unglückliche Episode einer ohnehin unvollständigen nationalstaatlichen Einigung zu Ende gegangen. Danach hat sich die kulturelle Identität der Deutschen von der einheitsstaatlichen Organisationsform gelöst – wie früher schon im Falle Österreichs.

Der Historiker Rudolf von Thadden stellt ohne Ressentiment fest, daß Kant ein Teil der deutschen Geistesgeschichte bleibt, auch wenn Königsberg heute Kaliningrad heißt – also weder auf west- noch auf ostdeutschem Territorium liegt.[6] Mit dieser Entkoppelung einer gemeinsamen kulturellen Identität von Gesellschaftsformation und Staatsform löst sich eine gewiß diffuser gewordene Nationalität von der Staatsangehörigkeit und macht den Platz frei für die politische Identifikation mit dem, was die Bevölkerung jeweils an der Nachkriegsentwicklung des eigenen Staates für bewahrenswert hält. In der Bundesrepublik hat Dolf Sternberger einen gewissen Verfassungspatriotismus beobachtet, also die Bereitschaft, sich mit der politischen Ordnung und den Prinzipien des Grundgesetzes zu identifizieren.

Diese ernüchterte politische Identität löst sich vom Hintergrund einer nationalgeschichtlich zentrierten Vergangenheit. Der universalistische Gehalt einer um den demokratischen Verfassungsstaat kristallisierten Form des Patriotismus ist nicht länger auf siegreiche Kontinuitäten eingeschworen; er ist unvereinbar mit der sekundären Naturwüchsigkeit eines historischen Bewußtseins, das uneinsichtig bleibt für die tiefe Ambivalenz jeder Überlieferung, für die Kette des Nicht-Wiedergutzumachenden, die barbarische Nachtseite aller kulturellen Errungenschaften bisher.

Allerdings zeigt die gegenwärtige Debatte, daß dies eine umstrittene Lesart ist. Andere können in denselben Phänomenen nur ebensoviele Anzeichen für die Pathologie einer beschädigten nationalen Identität entdecken. So oder so könnten sich freilich Ansätze zu einer postnationalen, auf den Verfassungsstaat bezogenen Identität nur im Rahmen allgemeiner, über die Bundesrepublik hinausgreifender Tendenzen entfalten und stabilisieren.

Gibt es solche allgemeineren Tendenzen? Ich will nicht auf die bekannten funktionalen Aspekte eingehen, unter denen die nationalstaatliche Integrationsebene heute überall an Bedeutung eingebüßt hat; auch nicht darauf, was die Souveränitätseinbußen des Nationalstaates (der immer stärker von der kapitalistischen Weltökonomie und den nuklear gerüsteten Supermächten abhängt) in der Wahrnehmung seiner Bürger bedeuten mögen. Ich beschränke mich auf einige triviale Beobachtungen, die in unseren Breiten für eine Schwächung des partikularistischen Elements in der Bewußtseinsgestalt des Nationalismus sprechen.[7]

(a) Hegel, der bekanntlich den nationalen Bewegungen seiner Zeit ziemlich fern gestanden hat, begründet in der *Rechtsphilosophie* (§ 324) noch ganz unbefangen »das sittliche Moment des Krieges« und die Pflicht des einzelnen, sich im Kriege dem Risiko »der Aufopferung des Eigentums und des Lebens« auszusetzen. Der Nationalstaat beerbt die antike Pflicht, für das Vaterland zu sterben, im Namen einer modern gedachten Souveränität, und besiegelt damit den Vorrang der Nation vor allen übrigen irdischen Gütern. Dieser mentalitätsprägende Kern des Nationalismus hat der rüstungstechnologischen Entwicklung nicht standgehalten. Wer heute die Waffen, mit denen er einem anderen Lande droht, tatsächlich anwendet, weiß, daß er im selben Augenblick das eigene Land zerstört. So ist inzwischen die Verweigerung des Dienstes mit der Waffe, moralisch gesehen, schon leichter zu rechtfertigen als der paradox gewordene Kriegsdienst selber.

(b) Hannah Arendt hat in den Lagern die Symbolisierung des tiefsten Wesenszuges unseres Jahrhunderts gesehen. Sie meinte nicht nur die Vernichtungslager, sondern überhaupt die Internierungs- und Flüchtlingslager, die Auffang- und Durchgangslager für politische Emigranten, für Vertriebene, Wirtschaftsasylanten,

Fremdarbeiter usw. Diese riesigen, durch Krieg, politische Unterdrückung, ökonomisches Elend und den internationalen Arbeitsmarkt erzwungenen Bevölkerungsverschiebungen haben kaum eine der entwickelten Gesellschaften in ihrer ethnischen Zusammensetzung unverändert gelassen. Die Berührung mit dem Schicksal der Entrechteten, die hautnahe Konfrontation der Einheimischen mit fremden Lebensformen, Religionen und Rassen löst gewiß Abwehrreaktionen aus; diese Erfahrungen geben aber auch einen Anstoß zu Lernprozessen, zur Wahrnehmung der eigenen privilegierten Situation; sie bedeuten einen Zwang zur Relativierung der eigenen Lebensformen und die Herausforderung, mit den universalistischen Grundlagen der eigenen Überlieferung Ernst zu machen.

(c) Weniger dramatisch, eher auf subkutane Weise wirken sich Massenkommunikation und Massentourismus aus. Beide verändern die auf Anschauung eingestelle Nahoptik und die auf den Nahbereich zugeschnittene Gruppenmoral. Sie gewöhnen den Blick an die Heterogenität der Lebensformen und an die Realität des Gefälles zwischen den Lebensbedingungen bei uns und anderswo. Diese Gewöhnung ist gewiß ambivalent: sie öffnet den Blick und stumpft ihn auch ab. Mit den Bildern aus der Sahel-Zone, wenn wir sie täglich sehen müßten, könnten wir nicht leben. Aber noch dieser Umstand, daß wir ohne Verdrängungen nicht auskommen, verrät die beunruhigende Gegenwart einer zur Welt insgesamt erweiterten Gesellschaft. In ihr funktionieren die Feindbilder und Stereotype, die das Eigene gegen das fremde Andere abschirmen, immer unzuverlässiger. Je aufdringlicher die ungleichzeitige Vielfalt verschiedener, konkurrierender, einander ausbeutender Lebensformen ihr Recht auf Koexistenz und Gleichbehandlung einklagt, um so deutlicher schwinden alle Alternativen zur Erweiterung des moralischen Bewußtseins in universalistischer Richtung.

(d) Schließlich haben sich auch jene Wissenschaften verändert, die als Medium für die Vergegenwärtigung des kulturellen Erbes einer Nation dienen. Während des 19. Jahrhunderts waren die Geisteswissenschaften innerhalb ihrer nationalen Grenzen noch stufenlos an die Kommunikationsströme des gebildeten Publikums und seiner öffentlichen Traditionsaneignung angeschlossen. Dieses Band hat sich mit dem Zerfall bildungsbürgerlicher Schichten gelockert. Sodann hat die internationale Integration des

Wissenschaftssystems auch die Geisteswissenschaften erfaßt und die nationalen Wissenschaftstraditionen füreinander durchlässiger gemacht. Schließlich hat die Annäherung von Sozial- und Geisteswissenschaften auch bei diesen einen Theoretisierungsschub ausgelöst und eine stärkere Differenzierung zwischen Forschung und Darstellung, zwischen Fachwissenschaft und exoterischer Geschichtsschreibung gefördert. Allgemein ist die Distanz zwischen den historischen Wissenschaften und dem öffentlichen Prozeß der Überlieferung größer geworden. Die Fallibilität des Wissens und die Konkurrenz der Lesarten fördern eher eine Problematisierung des Geschichtsbewußtseins als die Identitätsbildung und die Sinnstiftung.

Nehmen wir einmal an, daß diese und ähnliche Tendenzen tatsächlich für eine Formveränderung der nationalen Identitäten – mindestens im Bereich der westlichen Industriegesellschaften – sprechen, wie soll man sich dann das Verhältnis von problematisiertem Geschichtsbewußtsein und postnationaler staatlicher Identität überhaupt vorstellen? Jede Identität, die die Zugehörigkeit zu einem Kollektiv begründet und die Menge der Situationen umschreibt, in denen die Angehörigen in einem emphatischen Sinne »Wir« sagen können, scheint doch als etwas Unbefragtes aller Reflexion entzogen bleiben zu müssen.

IV

Sören Kierkegaard, der religiöse Schriftsteller und Philosoph, der weit über die Existenzphilosophie hinaus unser Denken bis heute inspiriert hat, war ein Zeitgenosse der nationalen Bewegungen. Aber er spricht keineswegs von kollektiven Identitäten, sondern allein von der Identität der einzelnen Person. In *Entweder-Oder* konzentriert er sich auf jenen einsamen Entschluß, durch den der moralische einzelne die Verantwortung für seine Lebensgeschichte übernimmt und sich »zu dem macht, der er ist«.[8] Dieser praktische Akt der Verwandlung hat auch eine kognitive Seite; mit ihm bekehrt sich der einzelne zu einer »ethischen Lebensauffassung«: »Er entdeckt nun, daß das Selbst, das er wählt, eine unendliche Mannigfaltigkeit in sich birgt, sofern es eine Geschichte hat, in welcher er sich zur Identität mit sich selbst bekennt.« (774) Wer sich an die *Konfessionen* des Augustinus erinnert, erkennt in diesem authentischen Lebensentwurf ein altes christliches Motiv wieder, die Erfahrung der Konversion; die »absolute Wahl« verändert den einzelnen auf die nämliche Weise wie den Christen die Bekehrung: »Er wird er selbst, ganz derselbe, der er zuvor war, bis auf die unbedeutendste Eigentümlichkeit, und doch wird er ein anderer, denn die Wahl durchdringt alles und verwandelt es.« (782f.) Jedes Individuum trifft sich zunächst an als das geschichtliche Produkt zufälliger Lebensumstände, aber indem es sich selbst als dieses Produkt »wählt«, konstituiert sich erst ein Selbst, das sich die reiche Konkretion seiner bloß vorgefundenen Lebensgeschichte als etwas zurechnet, wofür es retrospektiv Rechenschaft geben will. Aus dieser Perspektive enthüllt sich das verantwortlich übernommene Leben zugleich als eine irreversible Kette von Verfehlungen. Der dänische Protestant beharrt auf der Verschränkung von existentieller Authentizität und Sündenbewußtsein: »Ethisch aber kann man sich selbst nur wählen, indem man sich selbst bereut, und nur indem man sich selbst bereut, wird man konkret.« (812)

Wir können diesem Konzept einer Ich-Identität, die sich durch die Rekonstruktion der eigenen Lebensgeschichte im Lichte absoluter Selbstverantwortung herstellt, auch eine etwas profanere Lesart abgewinnen. Dann sieht man, daß Kierkegaard in der Mitte des 19. Jahrhunderts unter der Voraussetzung der kantischen Ethik denken muß und eine Alternative bieten will zu Hegels Versuch, Kants universalistische Moral auf eine fragwürdige Weise zu »konkretisieren«. Hegel hatte ja der subjektiven Freiheit und dem moralischen Gewissen in den Institutionen des vernünftigen Staates Halt geben wollen. Kierkegaard, gegenüber diesem objektiven Geist so mißtrauisch wie Marx, verankert beide statt dessen in einer radikalisierten Innerlichkeit. Auf diesem Weg gelangt er zu einem Begriff von persönlicher Identität, der unserer posttraditionalen, aber nicht schon aus sich heraus vernünftigen Welt offenbar angemessener ist.

Dabei hat Kierkegaard durchaus gesehen, daß das persönliche Selbst zugleich ein soziales und ein bürgerliches Selbst ist – Robinson bleibt für ihn ein Abenteurer. Er stellt sich vor, daß sich das persönliche Leben ins bürgerliche »übersetze« und aus diesem in die Sphäre der Innerlichkeit zurückkehre (830). Dann aber wird man fragen dürfen, wie denn die intersubjektiv geteilten Lebenszusammenhänge strukturiert sein müßten, damit sie nicht nur Platz lassen für die Ausbildung anspruchsvoller persönlicher Identitäten, sondern solchen Prozessen der Selbstfindung entgegenkommen. Wie müßten Gruppenidentitäten beschaffen sein, die den unwahrscheinlichen und gefährdeten Typus der von Kierkegaard entworfenen Ich-Identität ergänzen und stabilisieren könnten?

Falsch wäre es, sich Gruppenidentitäten als Ich-Identitäten im Großformat vorzustellen – zwischen beiden besteht keine Analogie, sondern ein komplementäres Verhältnis. Daß der Nationalismus eine solche Ergänzung zu Kierkegaards ethischer Lebensanschauung nicht sein konnte, ist leicht zu erkennen. Wohl markiert er einen ersten Schritt zur reflexiven Aneignung der Traditionen, denen man sich zurechnet; posttraditional ist auch schon die nationale Identität. Aber diese Gestalt des Bewußtseins entfaltet eine starke präjudizierende Kraft; das zeigt sich an jenem Grenzfall, in dem sie sich am reinsten aktualisiert: im Augenblick der Mobilisierung für den vaterländischen Krieg. Diese Situation freiwilliger Gleichschaltung ist das bare Gegenteil von jenem existentiellen »Entweder-Oder«, mit dem Kierkegaard den einzelnen konfrontiert. Offensichtlich wäre mit den Identifikationen, die der Nationalstaat von seinen Bürgern erwartet hat, mehr vorentschieden, als Kierkegaard im Interesse des einzelnen zulassen kann.

Anders verhält es sich mit einem Verfassungspatriotismus, der erst entsteht, nachdem sich Kultur und staatliche Politik stärker voneinander differenziert haben als im Nationalstaat alter Prägung. Dabei werden die Identifikationen mit eigenen Lebensformen und Überlieferungen überlagert von einem abstrakter gewordenen Patriotismus, der sich nicht mehr auf das konkrete Ganze einer Nation, sondern auf abstrakte Verfahren und Prinzipien bezieht. Diese zielen auf die Bedingungen des Zusammenlebens und der Kommunikation zwischen verschiedenen, gleichberechtigt koexistierenden Lebensformen – im Innern wie nach außen. Die verfassungspatriotische Bindung an diese Prinzipien muß sich freilich aus dem konsonanten Erbe kultureller Überlieferungen speisen. Immer noch prägen die nationalen Überlieferungen eine Lebensform mit privilegiertem Stellenwert, wenn auch nur eine in einer Hierarchie von Lebensformen verschiedener Reichweite. Diesen wiederum entsprechen kollektive Identitäten, die einander überlappen, aber eines *Mittelpunktes*, wo sie zur nationalen Identität gebündelt und integriert würden, nicht mehr bedürfen. Die abstrakte Idee der Verallgemeinerung von Demokratie und Menschenrechten bildet statt dessen das harte Material, an dem sich nun die Strahlen der nationalen Überlieferungen brechen – der Sprache, der Literatur und der Geschichte der eigenen Nation.

Für diesen Prozeß der Aneignung dürfen die Analogien mit Kierkegaards Modell der verantwortlichen Übernahme der individuellen Lebensgeschichte nicht überzogen werden. Schon im Hinblick auf das einzelne Leben bedeutet der Dezisionismus von *Entweder-Oder* eine starke Stilisierung. Die Wucht der »Entscheidung« soll hier vor allem den autonomen und bewußten Charakter des Sich-selbst-Ergreifens betonen. Dem kann auf der Ebene der Aneignung intersubjektiv geteilter Traditionen, die keinem einzelnen zur Disposition stehen, nur der autonome und bewußte Charakter eines öffentlich ausgetragenen Streites entsprechen. Beispielsweise streiten wir uns darüber, wie wir uns als Bürger der Bundesrepublik verstehen wollen – im Modus dieses Streites um Interpretationen vollzieht sich der öffentliche Prozeß der Überlieferung. Und darin sind die Geschichtswissenschaften – wie andere Expertenkulturen auch – nur unter dem Aspekt ihres öffentlichen Gebrauchs verstrickt, nicht als Wissenschaften.

Ebenso wichtig ist eine weitere Differenz. Kierkegaard stellt den Akt der Selbstwahl ganz unter den Gesichtspunkt der moralischen Rechtfertigung. Aber moralischer Bewertung unterliegt nur das, was wir einer individuellen Person zurechnen dürfen; für historische Prozesse können wir uns nicht in demselben Sinne verantwortlich fühlen. Aus dem historischen Zusammenhang von Lebensformen, die sich von Generation zu Generation fortpflanzen, ergibt sich für die Nachgeborenen nur eine Art intersubjektiver Haftung. An dieser Stelle findet allerdings jenes Moment der Reue, die der Selbstvergewisserung auf dem Fuße folgt, ein Pendant – die verpflichtende Melancholie angesichts der nicht wiedergutzumachenden Opfer. Ob wir nun die historische Haftung so weit ausgedehnt sehen wie Benjamin oder nicht, für das Maß an Kontinuität und Diskontinuität der von uns weitergegebenen Lebensformen tragen wir heute eine größere Verantwortung denn je.

An einer aufschlußreichen Stelle gebraucht Kierkegaard das Bild des Redakteurs: das ethisch lebende Individuum sei Redakteur seiner eigenen Lebensgeschichte, aber es müsse sich bewußt sein, »daß es ein verantwortlicher Redakteur ist« (827). Nachdem sich der einzelne existentiell entschieden hat, wer er sein möchte, übernimmt er die Verantwortung dafür, was er sich fortan aus seiner moralisch übernommenen Lebensgeschichte als wesentlich zurechnet – und was nicht: »Wer ethisch lebt, hebt bis zu einem gewissen Grade die Distinktion zwischen dem Zufälligen und dem Wesentlichen auf, denn er übernimmt sich ganz und gar als gleich wesentlich; aber sie kehrt wieder, denn nachdem er dies getan hat, unterscheidet er, doch so, daß er für das, was er als das Zufällige ausschließt, eine wesentliche Verantwortung übernimmt im Hinblick darauf, daß er es ausgeschlossen hat.« (827) Heute sehen wir, daß es dafür ein Pendant im Leben der Völker gibt. Im öffentlichen Prozeß der Überlieferung entscheidet sich, welche unserer Traditionen wir fortsetzen wollen und welche nicht. Der Streit darum wird um so intensiver entbrennen, je weniger wir uns auf eine Siegergeschichte der Nation, auf eine fugendichte Normalität dessen, was sich nun einmal durchgesetzt hat, verlassen können und je deutlicher uns die Ambivalenz jeder Überlieferung zu Bewußtsein gekommen ist.

V

Im Persönlichen spricht Kierkegaard also von einer »Distinktion«, die wir treffen, wenn wir uns aus der Zerstreuung zurückholen und im Fokus des verantwortlichen Selbstseins sammeln. Man weiß dann, wer man sein möchte und wer nicht, was wesentlich zu einem selber gehören soll, was nicht. Auf die Mentalität einer Bevölkerung läßt sich die existenzphilosophische Begrifflichkeit von Eigentlichkeit und Uneigentlichkeit nicht ohne weiteres übertragen. Aber auch hier hinterlassen geschichtliche Entscheidungen von politisch-kultureller Tragweite ihre distingierenden Merkmale – wie im Falle der Westorientierung der Bundesrepublik. Man kann sehr wohl die Frage stellen, wie sich eine solche Entscheidung im politisch-kulturellen Selbstverständnis der Bevölkerung spiegelt, ob sie eine Distinktion begründet – ein Anders-sein-Wollen. Bedeutet die Westintegration für uns heute auch den Bruch mit dem Kontext jenes deutschen

Sonderbewußtseins, oder verstehen wir sie nur als eine Opportunitätsentscheidung, die uns nach Lage der Dinge am ehesten erlaubt hat, dem Lebenshaushalt der Nation soviel wie eben möglich an Kontinuität zu erhalten?

Die Westintegration der Bundesrepublik hat sich schrittweise vollzogen: ökonomisch mit Währungsreform und europäischer Gemeinschaft, politisch mit der Teilung der Nation und der eigenstaatlichen Konsolidierung, militärisch mit Wiederaufrüstung und Nato-Beitritt und kulturell mit einer langsamen, erst Ende der fünfziger Jahre abgeschlossenen Internationalisierung von Wissenschaft, Literatur und Kunst. Diese Prozesse haben sich machtpolitisch in einer durch Jalta und Potsdam, später durch das Verhältnis der Supermächte zueinander bestimmten Konstellation vollzogen. Aber sie trafen in der westdeutschen Bevölkerung von Anbeginn auf »eine weitverbreitete prowestliche Grundstimmung, die sich aus dem radikalen Scheitern der NS-Politik und dem abstoßenden Erscheinungsbild des sowjetischen Kommunismus nährte«.[9] Ein doppelter antitotalitärer Konsens hat bis in die sechziger Jahre hinein den Mentalitätshintergrund unserer politischen Kultur bestimmt. Das Aufbrechen dieses Kompromisses stellt uns heute erst explizit vor die Frage, was jene Orientierung nach Westen tatsächlich für uns bedeutet: bloße Anpassung an eine Konstellation oder eine in Überzeugungen wurzelnde, prinzipiengeleitete intellektuelle Neuorientierung.

Natürlich war die stumme Überzeugungskraft des ökonomischen Erfolgs und zunehmend auch der sozialstaatlichen Errungenschaften der beste Garant für die Zustimmung zu Prozessen, die sich ohnehin anbahnten. Ein übriges tat die Ablehnung der Sowjetunion – der Antikommunismus der Vertriebenen, die ihre Erfahrungen gemacht hatten, der Antikommunismus der SPD, die im anderen Teil Deutschlands die Bildung der SED nicht hatte verhindern können, und der Antikommunismus derer, die immer schon so gedacht hatten, vor allem jener Antikommunismus, in dessen Zeichen die Regierungsparteien die Wiederaufrüstung durchsetzten. Unter Adenauer waren diese in ihrer Propaganda nicht zimperlich und brachten den inneren Gegner stereotyp mit dem äußeren Feind in Verbindung.

Während die frühen ökonomischen Weichenstellungen im wesentlichen eine Restauration vorübergehend beeinträchtigter Verhältnisse bedeutet hatten, während die politisch-institutionelle Neuordnung immerhin als eine Reform des Weimarer Staates verstanden werden konnte, gab es nach außen, in der Politik der Bündnisse, und nach innen, in der politischen Kultur, neue Anfänge. An den Themen aus diesen beiden Bereichen haben sich denn auch die großen mentalitätsprägenden Kontroversen entzündet. Die Politik der Wiederaufrüstung und später die Ostpolitik waren strittig zwischen Regierung und Opposition, zeitweise vor dem Hintergrund außerparlamentarischer Bewegungen. Streitfragen der politischen Kultur entzündeten sich an dem, was eine erstmals etablierte Schicht von Intellektuellen, später auch die revoltierenden Studenten und die neuen sozialen Bewegungen als autoritäre Tendenzen wahrnahmen – und als Unempfindlichkeiten gegenüber den beim Wort genommenen moralischen Grundlagen eines demokratischen und sozialen Rechtsstaates, überhaupt eines im Geiste des Antifaschismus errichteten Gemeinwesens. Natürlich kann man die Mentalitätsgeschichte der Bundesrepublik nicht in wenigen Sätzen kennzeichnen. Ich will nur eines hervorheben: jene beiden anhaltenden Kontroversen wurden, wenn man von marginalen Gruppen absieht, auf der Basis einer nicht ernstlich in Frage gestellten Option für den Westen ausgetragen.[10]

Allerdings berührte der zweite Themenbereich den antitotalitären Konsens, dessen Zusammensetzung sich bald nach dem Kriege charakteristisch verändert hatte: Antikommunismus – im Sinne einer Ablehnung des Sowjetkommunismus – verstand sich von selbst bis hin zu den antiautoritären Studenten von '68; aber der Antifaschismus – schon das Wort schien verdächtig – wurde alsbald spezifiziert: man verstand darunter nicht viel mehr als die pauschale Ablehnung einer im Ganzen distanzierten, dem »Zeitalter der Tyrannen« zugeschlagenen Periode. Der antitotalitäre Konsens, soweit er die ganze Bevölkerung einigte, beruhte auf einer stillschweigenden Asymmetrie; ein Konsens blieb er nur unter der Bedingung, daß der Antifaschismus nicht grundsätzlich werden dürfe. Genau diese Bedingungen aber haben liberale und linke Minderheiten immer dann problematisiert,

- wenn sie die negativ besetzte, aber global ausgeklammerte NS-Periode in Einzelheiten öffentlich thematisierten (Wiedergutmachung, »Aufarbeitung der Vergangenheit«, Auschwitzprozesse, Verjährungsdebatten usw.);

- wenn sie die Prinzipien des Verfassungsstaates und die Grundsätze einer sozial gerechten Gesellschaft gegen eine in der Bundesrepublik geübte Praxis ausspielten (*Spiegel*-Affäre, Springer-Kampagne, Berufsverbote, Asylantendiskussion usw.);
- oder wenn sie Politiken der Schutzmacht Amerika, also das Kontrastbild zum Totalitären, an den gemeinsamen Maßstäben kritisierten (Vietnam, Libyen, Widerstand gegen die Entspannungspolitik usw.).

Die Historikerdebatte steht auch in diesem Zusammenhang. Die politischen Absichten, die sich unverhohlen mit einer für die Öffentlichkeit angestrebten normalisierenden und distanzierenden Vergeschichtlichung der NS-Periode verbinden, bedürfen keiner Motivforschung. Wenn jene Bedingung für den antitotalitären Konsens der fünfziger Jahre, nämlich Diskretion gegenüber der eigenen Geschichte, immer weniger erfüllt werden kann, bietet sich eben diese Alternative an: die forsche Entproblematisierung einer nicht länger ausgeklammerten Vergangenheit und das noch ein wenig trotzige Bekenntnis zu den durch die NS-Periode hindurchreichenden Kontinuitäten.

Erst heute also steht zur Debatte, wie wir die Orientierung nach Westen verstehen wollen – nur pragmatisch als eine Frage der Allianzen, oder auch intellektuell als einen neuen Anfang der politischen Kultur.[11] Wer sich mit einem rhetorischen »Sowohl-Als-auch« begnügt, wiegelt ab und macht aus einer Existenzfrage einen Streit um Worte: Kierkegaards *Entweder-Oder* bezieht sich auf den Modus der *bewußten* Übernahme eines Stücks Geschichte. Auch unsere Nachkriegsgeschichte sollte im entscheidenden Punkt, der Abkehr von eigenen verhängnisvollen Traditionen, nicht dem dumpfen Lippendienst überlassen bleiben.

Anmerkungen

1 Th. W. Adorno, *Was bedeutet: Aufarbeitung der Vergangenheit*, in: *Eingriffe*, Frankfurt/Main 1963, S. 137.
2 H. U. Thamer, *Verführung und Gewalt*, Berlin 1986, S. 707.
3 K. Jaspers, *Die Schuldfrage*, Heidelberg 1946.
4 W. Benjamin, *Geschichtsphilosophische Thesen*, in: *Schriften* Bd. I, Frankfurt/Main 1951, S. 498.
5 Zum Folgenden: P. Alter, *Nationalismus*, Frankfurt/Main 1985.

6 R. v. Thadden, *Das verschobene Vaterland*, in: *SZ* vom 11/12. April 1987.

7 J. Habermas, *Können komplexe Gesellschaften eine vernünftige Identität ausbilden?*, in: ders., *Zur Rekonstruktion des Historischen Materialismus*, Frankfurt/Main 1976, S. 144f.

8 S. Kierkegaard, *Entweder-Oder*, Köln und Olten 1960, S. 773.

9 D. Thränhardt, *Geschichte der Bundesrepublik Deutschland*, Frankfurt/Main 1986, S. 34.

10 Das richtet sich gegen das landesübliche Vorurteil, die Option für den Westen sei identisch mit der Option für Adenauers Politik oder für die jeweils herrschende Nato-Doktrin.

11 Diesen Aspekt der Historikerdebatte hebt R. Dahrendorf hervor: »Im wohlwollenden Schutz des breiten Schattens, den der Bundeskanzler wirft, hat eine Identitätssuche begonnen, zu der vor allem der Wunsch nach ungebrochener Kontinuität gehört. Sie wird, für manche verwirrend, insbesondere von solchen betrieben, die in der aktuellen Politik auf die Vereinigten Staaten, vielmehr auf Präsident Reagan setzen, während umgekehrt linke Kritiker der amerikanischen Politik die westliche Aufklärung beschwören. So entstehen *scheinbar* widersprüchliche Kombinationen: wer für SDI und die Nachrüstung ist, ist auch bereit, Auschwitz mit asiatischen Vorbildern zu vergleichen und Grausamkeiten der Geschichte gegeneinander aufzurechnen. Und umgekehrt.« (In: *Zur politischen Kultur der Bundesrepublik*, in: *Merkur*, Januar 1987, S. 71.)

Nachweise

Keine Normalisierung der Vergangenheit. Unter dem Titel *Der Intellektuelle ist mit seinem Gewissen nicht allein* in: *Süddeutsche Zeitung* vom 19./20. November 1985.

Über den doppelten Boden des demokratischen Rechtsstaates, in: Hessendienst der Staatskanzlei (Hg.), *Dokumentation des Festakts der Verleihung der Wilhelm-Leuschner-Medaille zum hessischen Verfassungstag 1985*, S. 41-44 (Wiesbaden 1986).

Heinrich Heine und die Rolle des Intellektuellen in Deutschland, gekürzte Fassung in: *Merkur*, Juni 1986, S. 453-468.

Kritische Theorie und Frankfurter Universität, in: *links*, Januar 1985, S. 29-31.

Über Moral, Recht, zivilen Ungehorsam und Moderne, in: *Die Woche* (Regensburg), 15. Mai 1986.

Die Idee der Universität – Lernprozesse, gekürzte Fassung in: *Zeitschrift für Pädagogik*, 5, 1986, S. 703-718.

Die Schrecken der Autonomie, in: *Babylon. Beiträge zur jüdischen Gegenwart*, 1, 1986, S. 108-119; Oktober 1986; englisch: *Souvereignty and the Führerdemokratie*, in: *The Times Literary Supplement*, 26. September 1986; spanisch: *El Pais* vom 6. November 1986; italienisch: *Micro Mega*, 3, 1986, S. 229-237.

Eine Diskussionsbemerkung, in: H. Hoffmann (Hg.), *Gegen den Versuch, Vergangenheit zu verbiegen*, Frankfurt/Main 1987.

Apologetische Tendenzen. Unter dem Titel *Eine Art Schadensabwicklung* in: *Die Zeit* vom 11. Juli 1986.

Vom öffentlichen Gebrauch der Historie, in: *Die Zeit* vom 7. November 1986.

Nachspiel, unveröffentlicht.

Geschichtsbewußtsein und posttraditionale Identität, unveröffentlicht.

edition suhrkamp. Neue Folge

Keine Normalisierung der Vergangenheit
Über den doppelten Boden
des demokratischen Rechtsstaates
Heinrich Heine und die Rolle
des Intellektuellen in Deutschland
Die Idee der Universität
Eine Art Schadensabwicklung
Apologetische Tendenzen
Vom öffentlichen Gebrauch der Historie

ISBN 3-518-11453-0<1200>